IO COME TE

Quarta ristampa, aprile 2017

illustrazione di copertina di Aurora Biancardi

progetto grafico di Gaia Stock

© 2011 Edizioni EL, San Dorligo della Valle (Trieste)
ISBN 978-88-477-2761-8

www.edizioniel.com

paola capriolo

IO COME TE

Edizioni EL

Comunque, pensa, la colpa è tutta della Susi. Troppo capricciosa, quella ragazza, troppo piena di pretese, insomma, troppo femmina perché si possa andare d'accordo con lei. Stasera poi, chissà cosa aveva per la testa: arrabbiarsi cosí, andarsene sul piú bello, piantarlo come uno scemo lí in discoteca proprio durante la festa di Halloween, solo perché lui le era sembrato «poco comprensivo»... Come se uno non avesse il diritto di stufarsi a sentir parlare per tutto il tempo dei guai della sua amica del cuore e di dire, a un certo punto: – Adesso smettila, Susi, andiamo a ballare... – Apriti cielo! E da lí era partita la solita solfa delle lamentele, che lui non la capiva, non l'ascoltava, che si disinteressava dei suoi problemi... Ma perché? Ma quando mai? Aveva voglia di ballare, tutto qui: in discoteca ci si viene per questo, a quanto gli risulta, e se alla Susi non va, peggio per lei, nessuno la trattiene.

Nessuno la trattiene... Facile a dirsi. Intanto però lo sguardo di Luca rimane fisso sul display del telefonino in attesa di un messaggio che non arriva mai. «Scusa. Tvb», questo gli piacerebbe leggere. Invece, il silenzio.

Distogliendo a forza lo sguardo dal cellulare, scostando con un gesto stizzito la lattina semipiena rimasta sul tavolino accanto al posto che fino a pochi minuti prima era stato occupato dalla Susi, Luca osserva la pista da ballo sforzandosi di concentrare il suo interesse su qualcuna delle tante ragazze, quella là, per esempio, tutta inguainata di nero con costole e colonna vertebrale dipinte lungo la schiena di un bianco sgargiante, o quella bionda con i capelli a caschetto sotto il cappellaccio da strega che si muove seguendo la musica come una sirena nell'acqua...

Già; peccato che nessuna di loro sia carina come la Susi. O magari lo sono, ma non per lui. Il fatto è, pensa scoraggiato, che la Susi è la Susi, e con questo è detto tutto. Quella ragazza che forse non è nemmeno cosí carina, ma appena passabile per un occhio imparziale, che non ha certo un fisico da top model e dopo tre mesi non ha ancora imparato a baciare come si deve, gli si è incollata al cuore con una tenacia di cui lui non riesce a capacitarsi: impossibile staccarla di lí, impossibile persino concepire l'idea che un'altra, qualsiasi altra, arrivi a prendere il suo posto.

Come è triste Luca, questa sera... Mentre gli altri ragazzi si godono la festa, lui rimane lí a fissare ora il telefono, ora la sedia vuota accanto alla sua, dicendosi che mai, a nessun costo, accetterà di far pace con un'idiota simile, e sentendosi addirittura morire al pensiero di quel «mai».

Se i maschi potessero piangere in pubblico ora piangerebbe volentieri, piangerebbe senza fermarsi fino a domattina, piangerebbe di rabbia, di sconforto, di disperazione, piangerebbe perché è qui da solo mentre gli altri ballano abbracciati alle loro ragazze e perché ancora gli brucia il gesto con cui la Susi, quell'idiota, quella bambina viziata, ha strappato la mano dalla sua per alzarsi e correre fuori della sala. E l'odio, soprattutto: l'odio senza rimedio che in quel momento le aveva letto in faccia, sembrava che all'improvviso tutti i ricordi, i baci, le tenerezze, fossero diventati nulla e loro due, il Luca e la Susi, fossero stati trasformati in estranei da un crudele colpo di bacchetta magica.

– Che fai, sfigato? La tua ragazza si è finalmente decisa a mollarti?

Oddio, ci mancavano giusto quelli. Quegli insopportabili bulli della quinta B, con le loro teste rasate, i loro giubbotti di pelle costellati di borchie, le loro arie da duri: non hanno avuto nemmeno bisogno di mascherarsi per Halloween, pensa Luca, anche vestiti come tutti i giorni fanno un effetto abbastanza sinistro. A lui hanno sempre messo un po' paura e anche adesso farebbe volentieri a meno della loro compagnia, ma è davvero troppo solo per rifiutarla. Almeno, pensa, poter scambiare due parole con qualcuno.

– Che liberazione, eh? – risponde ostentando noncuranza. – Comunque, resta da vedere chi ha mollato chi.

Sono in quattro: proprio i meno raccomandabili della classe, quelli che non perdono occasione per tormentare i ragazzi piú piccoli e mettere in mostra, persino davanti ai prof, i loro incomprensibili tatuaggi. Ma stasera, forse per effetto della birra, sembrano meno cattivi del solito, anzi, addirittura amichevoli.

– Dài, sfigato, vieni a sederti con noi. Fai troppo pena a vederti, lí tutto solo nel tuo angolino.

Un altro, furtivo sguardo al display del cellulare. «Scusa»? «Tvb»? No, niente di tutto questo. La Susi proprio non si degna di farsi viva e lui, lí tutto solo nel suo angolino, fa troppo pena anche a se stesso. Ha l'impressione che le zucche fosforescenti disposte qua e là nella penombra del locale non facciano altro che guardarlo sogghignando. Perciò si alza e vincendo la diffidenza va a sedersi nel gruppo dei bulli che sono venuti, sembra, non tanto per ballare con le ragazze, quanto per osservarle scambiando su di loro i commenti piú pesanti e per scolare a ripetizione lattine di birra. Ne offrono una anche a Luca, sempre in quel tono di compatimento che un po' lo irrita, un po' gli è di conforto. Lui per la verità, poco abituato com'è alle bevande alcoliche, preferirebbe ordinare un'altra coca-cola, ma davanti a quei tipi vuole comportarsi da ragazzo grande, da maschio, e un maschio, ne è convinto, non rifiuterebbe mai una birra per una coca-cola. Che figura ci farebbe? Cosí l'accetta, e poi ne accetta un'altra, mettendosi anche lui a tracannare birra, non allo stesso ritmo degli altri, ma abbastanza per sentirsi invadere da una piacevole, sonnacchiosa euforia e dimenticare, o quasi, quell'idiota della Susi. Che bellezza! Che sollievo! E dire che fino a poco fa si sentiva tanto triste... Ora invece gli sembra che persino il ghigno diabolico delle zucche si sia trasformato nel piú cordiale dei sorrisi, gli sembra di essere il padrone del mondo mentre ascolta, senza afferrarli del tutto dato il suo stordimento, i discorsi dei compagni. Un po' parlano di ragazze, un po' di altre cose; dei «negri», per esempio, dei «marocchini» e dei «musi gialli», che secondo loro andrebbero rispediti tutti a calci nei rispettivi paesi, un'idea che Luca non sa bene se condividere o no, perché a lui, personalmente, «negri», «marocchini» e «musi gialli» non hanno mai dato fastidio (per la verità non ne conosce nessuno, a parte la domestica filippina di famiglia che è incerto se possa essere definita o no un «muso giallo»), ma chissà, forse i suoi nuovi amici sono meglio informati e hanno le loro buone ragioni per averli cosí in antipatia. E poi, ha la sensazione che il partecipare a quei discorsi, sia pure da semplice ascoltatore, crei tra lui e loro una specie di complicità, e questo lo lusinga come una promozione sul campo: evidentemente, pensa, lo considerano un loro pari, nonostante la differenza d'età e la sua aria da «sfigato».

Luca è alla terza birra, ma gli altri devono avere perso il conto da un pezzo quando (sono le due passate) uno dei quattro propone di andare.

– Sí, è tardissimo, – dice Luca, – anche a me si chiudono gli occhi. È proprio ora di andare a dormire.

– Dormire? Che idea cretina. Andiamo a divertirci, invece, a chiudere in bellezza la serata. Se ti va puoi aggregarti a noi.

Luca non capisce bene cos'abbiano in mente, ma non osa fare domande. «Chiudere in bellezza la serata»... qualunque cosa significhi, gli sembra una prospettiva attraente. In ogni caso, a provare non ci si rimette nulla: alla peggio, farà sempre in tempo a salutarli lungo la strada e a tornarsene a casa per conto suo.

– Ma sí, vengo con voi. Tanto domani non c'è scuola, e non devo nemmeno vedere la Susi. Chi se ne importa, se vado a letto tardi?

– Bravo: allora vieni, e impara come si fa.

Perché cosí silenziosi, tutto a un tratto? Prima erano un gruppo vociante che percorreva le strade semideserte della città ridendo rumorosamente e cantando a squarciagola le canzoni ascoltate in discoteca; ora, da quando hanno cominciato ad attraversare il parco, sono un branco che procede nella notte a passi felpati, quasi furtivi, e Luca, vagamente inquieto, si domanda il motivo di questa trasformazione. Non mi piace, pensa, ma continua a seguirli come per forza d'inerzia; li segue lungo i viali semibui, appena rischiarati, qua e là, dalla luce dei lampioni, e senza comprenderne la ragione si adegua al loro comportamento restando muto e badando a non far scricchiolare la ghiaia sotto le scarpe. È una notte gelida, ma per fortuna quelle birre gli hanno scaldato il sangue; in compenso non si sente perfettamente saldo sulle gambe, e ha la sensazione che tutto gli arrivi attutito come da uno schermo di vetro. Tutto gli sembra stranamente irreale, questa notte: gli alberi, i cespugli, persino i quattro che camminano davanti a lui.

Quando all'improvviso si fermano, sulle prime non capisce cosa stia succedendo; non lo capisce nemmeno quando, seguendo la direzione dei loro sguardi, vede in lontananza una figura rannicchiata su una panchina. Piú che un essere umano, sembra un fagotto informe. Se ne distinguono appena un braccio, la nuca, la testa avvolta in un berretto di lana; il viso è nascosto nell'incavo del gomito e il corpo sepolto sotto strati di cartone e sacchetti di plastica. Evidentemente aveva freddo, a dormire cosí all'aperto. Ai piedi della panchina, un cesto che, alla luce dei lampioni, sembra contenere qualcosa di verde e rosso. Fiori, si direbbe.

Luca osserva tutto ciò attraverso lo schermo di vetro, ma ancora non capisce perché questo spettacolo abbia attirato l'attenzione dei suoi compagni a tal punto da spingerli a fermarsi, come se finalmente avessero trovato quel che cercavano. Almeno dicessero qualcosa... invece restano lí in silenzio, raggruppati, consultandosi con gli occhi, finché uno di loro annuisce ed estrae dalla tasca della giacca prima una piccola bottiglia, poi una scatola di fiammiferi.

Adesso ha capito? No, non ancora. Ma nel suo stordimento, sente qualcosa pulsargli nella testa come un segnale d'allarme, come quelle campane che suonano a martello per avvisare di un pericolo; e la pulsazione si fa piú frenetica quando, vedendolo indugiare in disparte, il ragazzo con i fiammiferi si volta verso di lui per dirgli in un sussurro: – Tu non vieni, sfigato? Non ti piacciono le emozioni forti?

Ora i quattro cominciano ad avanzare piano piano verso la panchina, mentre Luca li segue con lo sguardo e la sua mente si rifiuta di dare un nome a ciò che sta avvenendo. Vorrebbe gridare, e non può; vorrebbe correre via, invece rimane lí, impietrito, a guardare il primo dei ragazzi che versa il contenuto della bottiglia sullo strato di plastica e cartone da cui è coperta la figura rannicchiata e poi accende un fiammifero gettandoglielo addosso, e gli altri tre che fanno lo stesso, l'uno dopo l'altro, muovendosi il piú silenziosamente possibile per non svegliare il dormiente, e versano ancora benzina, e gettano ancora fiammiferi, e provano e riprovano finché Luca vede levarsi dalla panchina una grande fiammata.

Il grido è lacerante, cosí lacerante da mandare bruscamente in frantumi lo schermo di vetro. È come se soltanto adesso, sentendolo, Luca si rendesse conto che quello era davvero un uomo e non il fagotto informe che sembrava. – Che fate? – dice fra le lacrime. – Oddio, che fate? – ma mentre lo dice si accorge che dalle sue labbra non esce alcun suono. Ora l'uomo è in piedi, un'alta fiaccola ardente da cui i quattro si allontanano sghignazzando e gridando insulti. Luca è troppo paralizzato dall'orrore perché gli venga in mente di andare in suo aiuto. Pensa soltanto: No. No, non voglio guardare, e corre via piangendo a dirotto, come un bambino spaventato, mentre l'uomo si getta a terra rotolandosi affannosamente sulla ghiaia e il branco, soddisfatto, si disperde nel buio.

Non era un incubo. Come poteva esserlo, se lui non si è nemmeno addormentato? Forse per qualche minuto, verso il mattino, cedendo di schianto alla stanchezza dopo essersi rigirato insonne nel letto per ore intere; adesso però è di nuovo sveglio, cosciente, e vede di nuovo, come se l'avesse davanti agli occhi, quella figura, no, quell'uomo che si contorce tra le fiamme. Lo sente gridare; forse lo sentirà sempre, il suo grido lo accompagnerà per tutta la vita come una maledizione, togliendogli il sonno.

E io, pensa, non ho fatto niente per impedirlo. D'altra parte, cosa avrebbe potuto fare? Quando aveva capito quali fossero le intenzioni del branco era già troppo tardi per intervenire, e poi era solo, solo contro quattro, senza contare che loro erano piú grandi e piú robusti e certo, se avesse osato fiatare, avrebbero conciato per le feste anche lui.

Cosí, con questi argomenti, Luca cerca di confortarsi giustificandosi davanti a se stesso. Ma il grido, quel grido che continua a sentire, gli ripete ostinatamente l'esatto contrario: che qualcosa, comunque, avrebbe dovuto fare, anche se era piú debole degli altri e uno contro quattro. Avrebbe dovuto urlare (ma come, se il fiato non gli usciva?), correre via per cercare aiuto (già, facile a dirsi: con le gambe paralizzate dal terrore?), o magari chiamare la polizia con il suo telefonino, che in fondo non serve soltanto a ricevere improbabili messaggi dalla Susi (però, fare la spia...). L'una dopo l'altra, mentre si rigira nel letto, Luca scarta tutte le possibilità che gli si affacciano alla mente, convincendosi di non avere davvero nulla da rimproverarsi; quel grido, però, continua a sentirlo.

Alle otto è già in piedi: data la situazione, gli sembra inutile ostinarsi a voler dormire. Si alza e va in bagno a lavarsi, badando a non svegliare i genitori che oggi, come sempre quando è festa, dormono fino a tardi. Solo per lui non è festa: per lui quello incominciato nel parco poche ore prima è un giorno tremendo, inconcepibile, che secondo logica non dovrebbe trovar posto in nessun calendario. E in un giorno del genere gli sembra cosí assurdo trovarsi lí, in quella stanza familiare, a strofinarsi i denti con lo spazzolino e insaponarsi sotto la doccia, come se niente fosse...

Una volta lavato va in cucina e si scalda un po' di caffè; a mangiare non c'è nemmeno da pensarci. Poi torna in camera sua e, meccanicamente, comincia a vestirsi; ma a un tratto il suo sguardo si posa sul computer che troneggia al centro della scrivania (un nuovo acquisto, di cui era stato molto orgoglioso prima che quella scena nel parco spazzasse via tutto il resto) e gli sembra che da lí, dallo schermo spento, gli venga un suggerimento, anzi, una richiesta precisa. Va ad accenderlo e apre subito il browser, dandosi dello stupido per non averci pensato prima. Ora però ha capito cosa deve fare, cosa deve cercare tra le infinite pagine del web: deve cercare, e trovare a ogni costo, una qualche notizia di cronaca che gli dica che ne è stato di quell'uomo, se è vivo o morto, perché dopo tutto potrebbe anche essere vivo. Quando lui è corso via, si stava rotolando per terra nel tentativo di spegnere le fiamme; era ancora in sé, in grado di lottare per la propria sopravvivenza. Luca darebbe qualunque cosa per sapere che quella lotta è stata vinta.

La ricerca è lunga e laboriosa: buon segno, pensa Luca, perché se l'uomo fosse morto almeno qualche giornale on line riporterebbe la notizia nella pagina iniziale. O no? O la brutta fine di uno che dorme sulle panchine dei parchi non importa a nessuno?

A lui non sarebbe certo importato molto, fino a ieri; difficilmente avrebbe cliccato su un titolo del genere per leggere i particolari della vicenda. Le vite di persone come quella erano vite strane, diverse, che nulla avevano a che fare con la sua; quindi, perché preoccuparsene?

Ora invece, mentre sfoglia una pagina dopo l'altra cercando sue notizie, Luca sente che la mano stretta intorno al mouse è umida di sudore, e quando finalmente trova il collegamento giusto, scorre quelle poche righe con il cuore in gola: un immigrato senza documenti e senza permesso di soggiorno (un «clandestino», dunque, come anche il sito consultato si premura di definirlo) è stato trovato all'alba da un vigile urbano ai piedi di una panchina, svenuto, il corpo coperto di bruciature. Si sospetta la bravata di una banda di teppisti («bravata»? Luca quasi non crede ai suoi occhi leggendo questa parola). L'uomo, conclude l'articolo, è stato prontamente soccorso e ricoverato al reparto grandi ustionati del Policlinico, dove si trova tuttora in prognosi riservata.

Quindi è gravissimo, pensa Luca, potrebbe ancora morire; ma potrebbe anche cavarsela, e questa idea riaccende in lui un barlume di speranza. Ora gli viene voglia di chiamare la Susi, di raccontarle tutto e farsi confermare da lei che sí, quell'uomo se la caverà e la vita, per Luca, potrà tornare normale. Gli direbbe senz'altro cosí, per consolarlo e perché è sempre stata un'inguaribile ottimista; ammesso che non sia tanto arrabbiata da attaccargli il telefono in faccia.

Compone il suo numero, ma dopo uno squillo è lui a riattaccare. Raccontarle tutto? Dirle che ha visto bruciare viva una persona senza muovere un dito? No, proprio non se la sente. E poi, in fondo, se è andato a cacciarsi in quell'orribile situazione la colpa è sempre sua, della Susi, che per una discussione banalissima l'ha piantato a bruciapelo in discoteca costringendolo (sí: costringendolo) ad aggregarsi a quei teppisti solo per non morire di tristezza.

Si alza, va di nuovo in cucina, si prepara una fetta di pane e marmellata che poi getta intatta nella pattumiera, e dopo qualche minuto eccolo di nuovo lí davanti al computer per scoprire se quella notizia ha avuto, nel frattempo, qualche aggiornamento. Ma aggiornamenti non ce ne sono; fino all'ora di pranzo, continua a collegarsi inutilmente al sito, da cui persino quelle poche righe sono sparite da un pezzo, sostituite da altre che trattano temi «piú interessanti».

Che fare, allora? Luca non può piú sopportare un'attesa cosí angosciosa. Quando la madre si affaccia alla porta della sua camera per dirgli di venire a tavola, ha già preso la sua decisione.

– No, mamma, scusa, avevo dimenticato di avvertirti: devo uscire, oggi mangio fuori con i miei amici.

E intanto pensa: Ci sarà pure un autobus, da qui, per arrivare al Policlinico...

Per cinque giorni, uno dopo l'altro, appena finita la scuola Luca si reca al reparto grandi ustionati di quell'ospedale. Ormai ha imparato cosí bene la strada che può andarci in bicicletta, invece di affidarsi alle precarie coincidenze dei mezzi pubblici; ogni volta, però, il risultato è lo stesso. Non una parola certa, niente che possa davvero rassicurarlo. A questo punto ha fatto quasi amicizia con le infermiere del reparto, con una in special modo, un donnone biondo, truccatissimo, che sembra prendersi particolarmente a cuore quel paziente. Ma anche lei, pur con tutta la buona volontà, non può fare altro che ripetergli giorno dopo giorno lo stesso scoraggiante bollettino: il malato si trova in stato di shock, ne uscirà chissà quando, se mai ne uscirà. Intanto, lo trattano con la fleboclisi; intanto, non è consentito a nessuno di mettere piede nella sua camera, il paziente è invisibile per ordine dei dottori, e poi che ci sarebbe da vedere? Davvero, Luca, credimi, non è un bello spettacolo.

Ma chi è? Almeno questo si può saperlo? No, nemmeno questo: come si fa a sapere chi è un clandestino? Non ha documenti, quindi non ha identità. Potrebbe essere chiunque. Potrebbe sparire da un momento all'altro senza che nessuna autorità, nessuna amministrazione, nessuno stato al mondo si accorgesse della sua mancanza. Neppure l'infermiera bionda che ogni giorno gli somministra gli antibiotici e controlla il buon funzionamento della fleboclisi ha la minima idea di chi sia, da dove venga. È piovuto lí, semplicemente; privo di sensi, senza voce dopo quel grido, un corpo muto e torturato di cui prendersi cura come di una pianta.

Luca va e viene, con la sua bicicletta. Ogni volta spera di sentire una buona notizia, che l'uomo ha ripreso i sensi, sta guarendo, anzi, è già guarito. Che quella spaventosa notte di Halloween è definitivamente passata, lasciandosi dietro un ricordo sgradevole ma non tragico, il ricordo di un'avventura molto brutta, sí, ma a lieto fine, dopo la quale tutti possono riprendere la loro vita normale.

Invece, niente. Un giorno, due, tre, quattro, e l'uomo continua a essere in stato di shock, non vuole saperne di riprendere coscienza. A scuola, Luca fa fatica a concentrarsi sul latino e sulla matematica; in palestra gli sembra che i suoi muscoli non abbiano piú la forza di sollevare nemmeno i pesi piú leggeri. E la Susi? La Susi è sempre lí, in tutti questi pensieri, ma non come una presenza amica. La Susi lo giudica, lo condanna; la Susi non fa che dire: «Ecco, avevo proprio ragione. Guarda che disastro ha combinato, ho fatto bene a non fidarmi di un tipo del genere».

Un giorno, due, tre, quattro, l'itinerario in bici sempre piú automatico. Ora Luca capisce meglio cosa sia quella forza d'inerzia che il prof di fisica ha spiegato in classe: un corpo, se niente lo arresta, prosegue all'infinito nel suo moto uniforme. All'infinito, senza scopo, senza un perché; è quel che si dice la forza della disperazione. Una volta, dietro le spalle del donnone biondo, riesce a sbirciare in quella camera dove gli è vietato l'accesso: vede una sagoma bianca, tutta bianca, adagiata al centro di uno strano marchingegno rotante. La ruota dei criceti: a questo somiglia. Ma gli spiegano che è per spostare nelle piú diverse posizioni e dare sollievo a quel corpo martoriato.

Uno, due, tre, quattro. Al quinto giorno, la buona notizia: il paziente ha ripreso i sensi, stamattina, intorno alle otto. E l'infermiera bionda dice a Luca che adesso, se vuole, può entrare nella sua stanza. Può vederlo. Può addirittura parlargli.

Come, parlargli? A questo, Luca non era preparato. Quando si sente prospettare una simile possibilità vorrebbe scappar via, subito, il piú lontano possibile. Parlargli, per dirgli cosa? Per chiedergli perdono, forse; ma chiedere perdono è difficile, è una delle cose piú difficili nella vita. Lui non ha mai chiesto perdono a nessuno, non lo chiederebbe nemmeno alla Susi, no, mai, a costo di spaccarsi il cuore. E nemmeno con il clandestino si sente di farlo. Perdono di che? Di non essersi comportato da eroe?

Eppure, viene in mente a Luca, ci sono momenti in cui comportarsi da eroe e comportarsi da uomo sono la stessa cosa. A molti, quasi a tutti, quei momenti sono risparmiati; a lui no, e ha fallito la prova. E quando si ha fallito, meglio scappar via. Meglio correre via senza voltarsi e andare a seppellire la faccia nel mucchio di terra piú vicino.

– Allora, Luca, vieni o non vieni? Adesso puoi vederlo, finalmente.

Il corpo è coperto di bende, ma il volto è intatto. Un volto bruno, con labbra carnose, naso largo e due occhi di un nero intenso che guardano fisso davanti a sé. Come l'infermiera bionda ha spiegato a Luca, l'uomo ha ripreso i sensi da poche ore; e in effetti, quegli occhi hanno qualcosa che ricorda lo sguardo di un bambino appena nato, lo stesso stupore indifeso, lo stesso smarrimento di fronte al fatto di essere al mondo. Forse è sempre cosí, lo sguardo di chi scampa per un pelo alla morte. Ma Rajiva Bawa, di nazionalità cingalese (queste le generalità che, sempre stando all'infermiera, ha fornito il paziente stesso interrogato dai poliziotti), non è un bambino: è un uomo sui quarant'anni, forse addirittura sui cinquanta. Luca si domanda se abbia una moglie, dei figli; se i suoi genitori siano ancora vivi; si domanda, insomma, quante persone avrebbero pianto, se non avesse riaperto gli occhi; e vorrebbe che i quattro del branco fossero lí a vederlo ora, con il corpo avvolto nelle bende e quello sguardo disorientato. Chissà se proverebbero lo stesso senso di colpa che prova lui: cosí violento, da farlo quasi pentire di essere entrato nella stanza. A far che, poi? Cosa potrebbero mai dirsi, lui e il cingalese? Sarebbe stato tanto meglio ringraziare della bella notizia, dire «no, grazie» e andarsene subito dall'ospedale. Invece no: all'invito dell'infermiera Luca aveva obbedito come a un ordine, non aveva resistito all'impulso di entrare, di avvicinarsi al letto, di vedere con i propri occhi come stesse e chi fosse quella persona il cui destino si era intrecciato cosí all'improvviso con il suo.

Ora rimane lí, in silenzio, seduto al capezzale del ferito, senza osare neppure guardarlo direttamente in faccia. Ma a un tratto è l'uomo a voltare faticosamente il viso verso di lui.

– Chi sei? – domanda in un italiano stentato. – Perché sei qui?

– Mi chiamo Luca, – dice lui. Alla seconda domanda non si sente di rispondere.

– Io Rajiva.

– Lo so. Me l'ha detto l'infermiera.

L'altro annuisce. – Donna gentile. Qui tutti gentili. Fuori invece...

– Non stancarti a parlare, – dice Luca, quasi spaventato dalla piega che sta prendendo il discorso. – Ora me ne vado, hai bisogno di riposo.

– No. Stai ancora –. E aggiunge: – Per piacere, – con una tale dolcezza nella voce che Luca si sente avvampare di vergogna.

– Va bene, resto ancora un po' –. Poi, dopo una lunga pausa, non sapendo che altro dire: – Fanno molto male, le bruciature?

– Sí, molto male. Il fuoco era cattivo.

– Mi dispiace. Tu non sai quanto mi dispiace.

Ora l'uomo lo guarda con piú attenzione, dritto negli occhi.

– Perché dispiace a te?

– Be', cosí... mi sembra naturale, no? A te non dispiacerebbe, se vedessi qualcuno in queste condizioni?

– Sí. Tanto.

– Lo vedi? È una cosa naturale.

Un altro silenzio; poi l'uomo domanda di nuovo: – Chi sei? Perché sei venuto?

Per un attimo Luca è tentato di dirgli la verità, di chiedergli perdono, lasciando finalmente scorrere quelle lacrime che da quando è qui sente premere agli angoli degli occhi. Ma è troppo difficile, dire la verità; e piangere non è cosa da maschi.

– Be', sai, io ci vado spesso negli ospedali, a trovare i malati. Sono... una specie di volontario, capisci? Uno che, quando può, dedica un po' del suo tempo ad aiutare gli altri.

Rajiva assume un'aria pensierosa: sembra che quella parola, «volontario», non l'abbia mai sentita. Ma alla fine dice: – Sí, capisco. Un uomo buono. Un ragazzo buono.

– Io sarei...?

– Sí, un ragazzo buono. Il ragazzo cattivo non veniva a trovarmi.

– Ma io sono venuto perché... No, ti prego, non pensare che io sia buono.

– Non cattivo, però.

– No, forse non cattivo. Grazie di averlo detto, Rajiva. Grazie davvero.

– Grazie che tu vieni a trovarmi. Se torni, sono contento.

– Be', questo non te lo prometto. Farò il possibile, ma ho tanti di quegli impegni: la scuola, gli amici, lo sport... Farò il possibile. Ma tu intanto riposa, cerca di guarire.

– Sí, adesso riposo. L'infermiera mi dà la medicina e io dormo, e non sento male.

– Bravo. Vedrai che domani stai meglio.

Per fortuna l'uomo chiude gli occhi, altrimenti Luca non troverebbe mai il coraggio di andarsene. Camminando, quasi correndo verso l'uscita dell'ospedale, continua a ripetere fra sé quelle parole: «un volontario, un ragazzo buono»; mentre le lacrime, quelle lacrime che i maschi non dovrebbero piangere, gli scorrono inarrestabili sulle guance.

È stata una commozione momentanea, un attimo di smarrimento, o almeno, cosí gli sembra. E infatti, dopo quell'incontro, Luca riprende a trascorrere serenamente le sue giornate. Ora, grazie al cielo, non ha piú ragione di preoccuparsi per il cingalese: è mal ridotto, certo, ma prima o poi si deciderà pure a guarire, e lui comunque si è interessato della sua salute, è andato persino a trovarlo... insomma, il suo dovere l'ha fatto, forse anche piú del suo dovere, quindi a questo punto può mettersi la coscienza in pace e pensare ad altro. Capitolo chiuso, definitivamente. Sarebbe assurdo tornare a fargli visita, proprio non se ne vede il motivo, e il malato stesso, Luca non tarda a convincersene, deve averlo detto soltanto cosí, per educazione.

Che bella cosa, dopo un simile shock, riprendere la propria vita normale... Tanto bella da far quasi dimenticare a Luca la tristezza per la lite con la Susi. Di notte dorme di un sonno profondo, senza incubi, e il mattino si sveglia allegro e riposato per andare a scuola. Al cingalese davvero non pensa piú, o cosí gli sembra, e non pensa nemmeno alla Susi finché un giorno, mentre sta legando la bici davanti al portone della scuola, non la vede a pochi metri da lui intenta a chiacchierare con l'amica del cuore, quella carogna della Stefi: la stessa che li aveva fatti litigare la sera di Halloween, quando Luca si era stancato di sentir raccontare le sue disgrazie. Già prima non la poteva soffrire; figuriamoci adesso.

Passando davanti alle due ragazze, per un attimo incontra lo sguardo della Susi e, d'istinto, rallenta; ma lei si affretta a voltarsi, a quanto pare non vuole saperne nemmeno di guardarlo, e Luca, sforzandosi di assumere un'aria indifferente, riprende il cammino. Mentre si allontana la sente dire all'amica, come proseguendo un discorso già iniziato: – Il guaio è che è un egoista. Un egoista spaventoso. Che gliene importa degli altri? Lui trova naturale pensare soltanto a se stesso.

Luca accelera il passo: ne ha già sentite abbastanza, di stupidaggini. Ma quale egoista? Se persino il cingalese l'ha definito «un ragazzo buono», esagerando un po', è vero, ma non senza qualche ragione, dato che lui ci era pur andato a trovarlo in ospedale... Piú di cosí, che cosa potrebbe fare? La Susi dica quel che vuole ma uno deve pensare a se stesso, innanzitutto a se stesso, vivere la propria vita senza lasciarsi travolgere dai problemi degli altri. È da egoisti, questo? O semplicemente da persone di buon senso?

A lezione è piú distratto che mai; meno male che a nessuno dei prof viene in mente di interrogarlo. Durante la ricreazione vorrebbe uscire in cortile ma ci rinuncia, come sempre negli ultimi giorni, quando guardando fuori dalla finestra scorge i ragazzi del branco, con le loro teste rasate, le facce torve, le labbra atteggiate a un eterno sogghigno. Quelli no, pensa; con quelli non voglio piú avere niente a che fare.

Ora, all'improvviso, si vede davanti il volto del cingalese, che gli sembrava di avere completamente dimenticato dopo essere uscito dall'ospedale. Il volto di Rajiva, cosí bruno tra il bianco della federa e quello delle bende, con quello sguardo disarmante da bambino appena nato. Forse mi aspetta, pensa, crede davvero che tornerò a trovarlo. Ma perché? Che c'entro io? Quali obblighi ho verso di lui?

No, Luca non ritiene affatto di essere un egoista; è solo che, più ci riflette, più lo spaventa l'idea di creare un legame tra se stesso e quel disgraziato, di lasciarsi coinvolgere nel suo destino. Di lui, in fondo, non sa nulla e nulla vuole sapere; non ha e non vuole avere niente in comune con un immigrato, per giunta clandestino, che dorme sulle panchine dei parchi, al mattino probabilmente non si lava nemmeno, e campa chissà come, magari rubando o spacciando...

Già, chissà come campa... Finora Luca non se l'era mai chiesto, ma adesso questa domanda continua a riaffacciarsi alla sua mente con insistenza, impedendogli di seguire la spiegazione del teorema. Perché Rajiva, a onor del vero, non ha affatto l'aria del ladro o dello spacciatore; senza contare che ladri e spacciatori, per dormire, possono permettersi qualcosa di meglio delle panchine. E allora, come fa a campare?

Se lo sta ancora domandando quando, uscito da scuola, vede sul marciapiede di fronte la solita mendicante accovacciata sul suo plaid con accanto a sé la ciotola per le elemosine: una visione squallida, fastidiosa, che l'aveva sempre spinto a distogliere lo sguardo e ad accelerare il passo, se proprio doveva passare da quella parte. Ora invece, d'impulso, attraversa la strada, le si avvicina, si fruga in tasca alla ricerca di qualche moneta. Ma monete non ne ha; trova soltanto una caramella, e con un certo imbarazzo la tira fuori per tenderla alla donna. Prendendola, inaspettatamente, lei sorride, illuminandosi tutta, come se l'avere ricevuto un dono al posto di un'elemosina le desse un particolare piacere, e quel sorriso a un tratto fa di lei, agli occhi di Luca, non più la solita mendicante cui si passa davanti senza fermarsi o alla quale si getta distrattamente qualche moneta, ma una persona, una donna, con i suoi pensieri e i suoi sentimenti, proprio come li ha la gente normale che non vive di carità agli angoli delle strade, con i suoi affetti e la sua storia da raccontare e la sua capacità di provare gioia e dolore.

È ovvio che sia cosí; Luca però non ci aveva mai pensato, e ora è quasi sconvolto da questa rivelazione. Per un attimo quasi si vergogna di sé, delle scarpe firmate, della giacca alla moda, dell'esistenza protetta e senza problemi che ha la fortuna di poter condurre. Abbassa lo sguardo, rispondendo al sorriso della mendicante con una smorfia imbarazzata, poi, senza piú voltarsi verso di lei, attraversa di nuovo la strada per andare a slegare la sua bicicletta. Mezz'ora dopo è già davanti al portone del Policlinico.

— «Come campo»? Che cosa vuol dire?

— Ma sí... Come ti guadagni la vita?

— Ah, adesso ho capito.

Un lungo silenzio.

— Forse chiedendo la carità? — azzarda infine Luca. — Se è cosí, non devi vergognarti, dillo pure senza problemi.

— Io non mi vergogno, — risponde Rajiva guardandolo dritto negli occhi, — e non chiedo la carità. Vendo le rose. Fuori dei cinema e dei ristoranti.

Ora Luca ricorda il cesto che aveva visto quella notte ai piedi della panchina. — Già, che stupido: le rose...

— Perché stupido? Come facevi a saperlo?

Confuso, lui si affretta a sviare il discorso. — Be', non dev'essere un lavoro molto redditizio. Faticoso, anche, se non sbaglio.

— Sí. Soprattutto d'inverno.

— Se non altro, qui in ospedale puoi riposarti un po'. Finché non guarisci sei alloggiato e nutrito, non hai bisogno di guadagnare niente.

A queste parole Rajiva sorride, di un sorriso triste, mentre il suo sguardo si trasforma: ora non è piú lo sguardo di un bambino smarrito, ma quello grave e consapevole di un adulto.

Per la prima volta, Luca nota alcune rughe sulla sua fronte e si domanda se ci siano sempre state o se sia una qualche preoccupazione a scavargliele improvvisamente nella pelle bruna e liscia.

– Conosci Sri Lanka? Isola di Ceylon? È da lí che vengo.

– No, non ci sono mai stato, ma dev'essere un gran bel posto.

– Un gran bel posto. Sai, qualcuno dice che il paradiso era proprio lí: il giardino magnifico che sta scritto nella vostra Bibbia.

– Davvero? Allora dev'essere bello forte.

Di nuovo, Rajiva sorride. – Peccato che in quel paradiso non tutti possono... com'è la parola?

– Quale parola?

– Campare. Adesso me la ricordo.

– Non tutti possono campare? Già, e tu non ci riuscivi, vero? Per questo sei venuto qui da noi a vendere rose...

– Per questo. Là ho una moglie. Due bambini. Ogni mese mando a loro i soldi che guadagno con le rose. Qui sono pochi, ma là bastano. A Ceylon la vita non è cara come qui.

– Una moglie e due figli? Pensa un po'! E non li vedi da tanto?

– Tre anni. I bambini cambiano, diventano grandi. La loro mamma mi manda le foto e io quasi non li riconosco.

– È molto brutto.

– No, non è brutto. Se io restavo là, loro non avevano da mangiare.

Luca non sa piú cosa dire. E pensare che quegli uomini appostati all'uscita dei cinema, con i loro fasci di rose colorate, gli erano sempre sembrati una presenza allegra e pittoresca... Non che lui ci avesse mai avuto molto a che fare: solo una volta, aveva comprato da uno di loro un mazzo di rose per la Susi senza accorgersi che erano fiori di pessima qualità, fiori vecchi, con i bordi dei petali già anneriti. Bella fregatura, si era detto; e da allora non aveva piú dato corda ai venditori di rose. Chissà, magari gli era capitato di incontrare anche Rajiva e aveva tirato dritto senza degnare di uno sguardo i suoi fiori, non sapendo che laggiú, nell'isola del paradiso, una donna e due bambini erano in attesa di quelle poche monete.

– Ma adesso come fanno? Voglio dire, tua moglie e i tuoi figli.

– Non so. Ci penso sempre, ma non so. Spero che qualche parente li aiuta.

– Li aiuterei anch'io, ma i miei di soldi me ne danno pochi. Forse potrei racimolare qualcosa dalla paghetta...

Questa volta il sorriso di Rajiva è diverso, meno triste. – Vedi? L'ho detto che sei un ragazzo buono. Ma ho detto anche che io non chiedo la carità.

– Ma che carità? Con quello che ti è successo...

– Se era colpa tua, avevi ragione di aiutarmi. Ma se non è colpa tua, perché devi farlo?

– Be', perché quelli che ti hanno dato fuoco erano...

– Erano cosa?

– Miei connazionali. Cioè, persone del mio paese.

Rajiva si stringe nelle spalle. – Il destino non è dei paesi, solo delle persone. Il mio destino e il destino di quei ragazzi cattivi si sono incontrati in un modo, e il mio e il tuo... non lo so. Forse in un altro modo. Io non so ancora perché sei venuto a trovarmi. Un giorno magari me lo dici.

Turbato, Luca si domanda se l'altro abbia indovinato qualcosa delle sue motivazioni. Strano uomo, pensa, questo Rajiva: vende fiori agli angoli delle strade, eppure a volte parla con una strana autorità, come un santone, come un maestro, come uno che conosce tutto del mondo e del cuore umano. Chissà, forse dalle sue parti sono tutti cosí...

– Per i miei, non devi preoccuparti, – prosegue Rajiva. – Se io non guarisco presto, qualcun altro penserà a loro. Forse domani vengono qui i ragazzi cattivi e mi dicono: «Scusa, ecco mille euro per farci perdonare». Oppure viene a trovarmi uno dei miei compagni e mi dice: «Tranquillo, finché sei all'ospedale vendo io le rose anche per te». Succede sempre qualcosa, nella vita: non bisogna avere paura.

Sarà, pensa Luca, ma io al posto suo qualche preoccupazione ce l'avrei. Aveva già sentito dire che gli orientali sono «fatalisti», e adesso capisce meglio che cosa vuol dire. Non c'è dubbio che quell'uomo ami moltissimo sua moglie e i suoi figli, li ama tanto che per sfamarli è venuto chissà come in un paese straniero (forse con uno di quei viaggi disperati di cui a volte parlano i telegiornali, a bordo di un barcone sovraffollato che sta a galla per miracolo o nascosto per giorni e giorni, a rischio di soffocare, nel doppio fondo di un camion); per sfamarli rimane appostato tutta la notte davanti a un locale con la sua cesta di rose, anche in pieno inverno, battendo i denti dal freddo e rimpiangendo il clima benigno dell'isola del paradiso; per sfamarli, invece di concedersi un letto da qualche parte dorme sulle panchine, esposto alle violenze di qualunque branco di teppisti cui venga in mente di concludere la serata con un'«emozione forte».

No, non si può dubitare che li ami moltissimo. Eppure adesso, di fronte alla prospettiva di lasciarli per settimane senza mezzi di sussistenza, non si sforza nemmeno di cercare una soluzione razionale; si affida semplicemente alla «vita», nella quale, cosí ha detto, succede sempre qualcosa; come se la vita fosse una specie di fata turchina sempre pronta a risolvere i problemi.

«Non bisogna avere paura», cosí ha detto. E invece, quando esce dalla camera, Luca ne ha molta, di paura. I suoi rimorsi tornano a farsi sentire con forza ora che, oltre alla figura fasciata dalle bende e imprigionata tra mille sofferenze in un letto d'ospedale, è costretto a immaginare quelle altre, sconosciute: la donna e i due bambini che attendono nell'isola del paradiso domandandosi come camperanno l'indomani.

Tormentato da questi pensieri, invece di dirigersi subito verso l'uscita comincia a vagare per il corridoio in cerca dell'infermiera: la solita, bionda, il donnone gentile. Chissà, forse ora gli dirà che il paziente sta molto meglio e che verrà dimesso entro pochi giorni. Sarebbe un bel sollievo, pensa Luca.

Ma quando finalmente la trova, che attraversa il corridoio trascinando uno di quegli strani trespoli per le fleboclisi, già alla sua prima domanda la donna scuote la testa in modo tutt'altro che incoraggiante.

– Mah, Luca, non so cosa dirti. Vedremo. Dopo la nuova operazione dovrebbe migliorare un po'.

A queste parole, Luca si sente gelare il sangue. – La nuova operazione? Come sarebbe?

– Tu non hai idea di come è ridotto quel poveraccio: il suo corpo è tutto una piaga, consideriamo già un miracolo che sia potuto sopravvivere. Appena ricoverato ha subito un trapianto di pelle, ma ora sembra che sia necessario un secondo intervento. Giovedí o venerdí prossimo, ha detto il dottore.

– E poi lo dimettete?

– Poi, se tutto va bene, dovrà trascorrere ancora un periodo di degenza.

– Di quanto tempo?

– Chi può dirlo? Staremo a vedere.

– Giorni? Settimane?

– Settimane. Parecchie settimane.

– Entro Natale però lo dimettete, voglio sperare.

– Lo spero anch'io, – risponde l'infermiera, ma intanto scuote di nuovo la testa come per dire: «Se vuoi sperare l'impossibile, nessuno te lo vieta».

Luca la ringrazia e si allontana costernato. Siamo a metà novembre, e a quanto pare Rajiva ne avrà fin dopo Natale: come minimo, «se tutto va bene». Un tempo eterno, durante il quale a sua moglie e ai suoi due figli mancheranno i mezzi di sussistenza che avrebbero ancora assicurati se in quella maledetta notte di Halloween lui, Luca, avesse gridato per disperdere il branco, se si fosse interposto, se avesse chiamato la polizia con il telefonino... Chissà, forse sarebbe bastato semplicemente afferrare per il braccio quel ragazzo, quando l'aveva visto tirar fuori la bottiglietta di benzina, e dirgli: «Fermo! Che fai?» guardandolo dritto negli occhi; perché anche in fondo a quegli occhi, sepolta chissà dove, doveva pur esserci una scintilla di umanità.

Ormai è andata cosí: quel che è fatto è fatto e non si può rimediare. Luca però non è fatalista e si consola pensando che per il presente e il futuro, invece, si può sempre trovare un rimedio. O almeno, si può provarci. Bisogna provarci, se non altro per non farsi soffocare dal senso di colpa. E mentre si avvia verso l'uscita, e poi in bici per le strade della città, continua a rimuginare senza sosta questo problema, che ormai gli pare l'unico al mondo: come aiutare quella gente? Come camperanno, nelle prossime settimane, la moglie e i figli di Rajiva?

È già a metà strada quando a un tratto gli balena la soluzione, e anche questa gli appare l'unica al mondo, tanto è logica, giusta, necessaria: camperanno, come sempre, grazie alla vendita delle rose. Non occorre che nessuno dei suoi compagni vada da Rajiva a offrirsi di sostituirlo. Finché lui dovrà restare in ospedale, sarà Luca a prendere il suo posto. Sí, è davvero semplice, come forse lo sono tutte le cose giuste; ed è il solo modo, Luca lo sente con chiarezza, di pareggiare un conto che altrimenti resterebbe aperto per sempre. Non sarà un'elemosina, ma una vera attenzione, da essere umano a essere umano, come la caramella donata a quella mendicante.

Mentre pedala verso la palestra sorride, pensando che in fondo, senza saperlo, aveva quasi colto nel segno quando si era presentato a Rajiva come un «volontario»; ed è cosí fiero di se stesso, che deve fermarsi accostando al marciapiede per scrivere un messaggio alla Susi: *Non è vero ke sono un egoista, 6 tu ke 6 una stupida: in 3 mesi non hai capito niente di me. Comunque, tvb. Luca*

Il fatto che quell'idiota della Susi non l'abbia degnato di una risposta è l'unica ombra che appanna la sua soddisfazione, quando varca la soglia della palestra. Poi però, durante gli esercizi, passa a riflettere su come mettere in atto la sua buona intenzione, e allora il coraggio comincia a mancargli. La cosa non è cosí semplice come gli era parso all'inizio, anzi, piú ci pensa e piú gli sembra complicata.

Per vendere le rose bisogna prima procurarsele, e a un prezzo inferiore a quello che si conta di chiedere all'acquirente: non ci vuole un economista per capirlo. Non si può certo andare in un negozio e assicurarsi la merce migliore dando fondo ai propri risparmi: ecco perché i fiori venduti dai cingalesi, dagli indiani, dai pakistani, da quei bruni fantasmi che si aggirano davanti ai nostri locali, appassiscono subito e hanno i bordi dei petali anneriti.

Già, ma comunque, dove se li procurano? Luca non ne ha la piú pallida idea, e nella sua perplessità, tornato nello spogliatoio, prova a domandare agli altri ragazzi.

– E a te che te ne importa? – ribatte uno.

– Niente, semplice curiosità.

– Mah... Io ho sentito dire che vanno a rubarle nei cimiteri. Forse si mettono d'accordo con i guardiani.

A questa risposta, Luca rabbrividisce: non lo entusiasma l'idea di dover girare di notte tra le tombe, ha visto troppi film dell'orrore per poter considerare una simile prospettiva mantenendo il suo sangue freddo. Senza contare che cimiteri e posti del genere gli richiamano alla mente la notte di Halloween, e a quella notte lui non vuole proprio pensare.

Un altro ragazzo interviene per dire: – Tutte storie. È un racket, quello delle rose: una specie di mafia indiana, o pakistana, o che so io.

Bene, pensa Luca, dalla padella nella brace. La mafia, di qualunque nazionalità sia, è roba che mette paura, e con i racket è meglio non scherzare. In che razza di avventura è andato a cacciarsi?

Per fortuna non c'è due senza tre, e finalmente prende la parola un terzo ragazzo: – Ma no, io non la vedrei cosí complicata. Secondo me quelli fanno semplicemente il giro dei negozi all'ora di chiusura, e chiedono ai fioristi di cedergli a prezzo stracciato le rose che il mattino dopo sarebbero da buttare.

Dal sollievo Luca lo bacerebbe, quel ragazzo. Piú facile di cosí... Niente racket, niente visite notturne ai cimiteri, solo una capatina serale, prima che chiuda, dal fioraio sotto casa, e poi via, in bici, verso qualche strada del centro dove si possono realizzare buoni affari.

Adesso gli è tornato il buon umore. Gli viene in mente che per sostenere bene la sua parte dovrà travestirsi da cingalese: lo pensa un po' per il timore di dare nell'occhio se si presentasse a vendere rose cosí com'è, con le sue scarpe firmate, la sua giacca all'ultima moda e il suo aspetto di ragazzo di buona famiglia; ma un po', sotto sotto, anche perché sente che morirebbe di vergogna se qualcuno degli amici o dei compagni di scuola (o peggio ancora: la Susi!) lo sorprendesse davanti a un locale con la mano tesa e la cesta dei fiori a tracolla.

In vita sua si era sempre rammaricato di non essere biondo, come gli eroi di tanti film americani; ora invece è contento di avere i capelli bruni e gli occhi neri, già cosí com'è potrebbe quasi passare per un cingalese; se poi si mettesse in faccia un po' di quella roba che usano le ragazze, fondotinta, o come diavolo si chiama, di tre o quattro toni piú scuro rispetto alla sua carnagione, tutti sarebbero pronti a scommettere che è arrivato dritto dritto dall'isola del paradiso, soprattutto se avesse l'avvertenza di indossare i suoi abiti piú vecchi e sciupati, quelli che la mamma tiene da parte appallottolati sul fondo dell'armadio in attesa di rifilarli alla parrocchia o a qualche ente benefico.

Dopo avere rimesso nella sacca tuta e scarpe da ginnastica, manda alla Susi un nuovo messaggino: *Ciao, bella, stammi bene. E non scomodarti a fare la pace, xké tanto nelle prossime sere sarò molto impegnato. Comunque, tvb. Il tuo Egoista.*

Giornata piena, quella di Luca: dalla scuola all'ospedale, dall'ospedale in palestra, e ora via di corsa in bicicletta verso i grandi magazzini per effettuare gli acquisti necessari. In fondo, la cosa lo diverte. Quella che si accinge a compiere è una buona azione, certo, ma un po' gli sembra anche un gioco. Gli sembra di essere tornato ai tempi della sua infanzia, quando coglieva avidamente ogni occasione possibile per travestirsi: il carnevale, la notte di Hall... No, a quella è meglio non pensare.

Non aveva mai messo piede nel reparto dei cosmetici: per forza, quella non è roba da maschi. Ora però passa in rassegna con una certa curiosità le boccette colorate degli smalti, le scatolette di cipria, le matite nere, azzurre, marroni, tutte quelle diavolerie che le ragazze adoperano per farsi più belle. Anche la Susi le adoperava, anzi, a quanto gli risulta le adopera ancora, ma appena appena, con discrezione. Non era, non è di quelle che vanno in giro tutte dipinte, con le unghie smaltate e magari i capelli viola o blu elettrico... Eppure, pensa Luca, le ragazze di quel genere devono divertirsi un mondo, per loro la vita dev'essere un carnevale perpetuo. Non sa cosa si perde, la povera Susi...

Dopo un esame coscienzioso dell'intero assortimento, finisce con lo scegliere un fondotinta bruno che dovrebbe assicurargli una perfetta carnagione da cingalese. Prova un certo imbarazzo, quando va a pagare alla cassa; tanto che si sente in dovere di dire alla commessa: – Sa, è un regalo. Per la mia fidanzata.

– È di pelle scura, la tua fidanzata.

– Sí, un po' scuretta. Non nel senso... cioè, ovviamente è italiana, però prende tanto sole.

Ma perché, poi, «ovviamente»? Perché ha sentito il bisogno di fare quella precisazione? pensa Luca, irritato con se stesso. Che cosa gliene importa alla commessa se la mia ragazza è italiana, o turca, o di chissà dove?

E infatti, la commessa non sembra affatto interessata all'argomento. – Confezione regalo? – si limita a dire, mentre fa scorrere velocemente il lettore sul codice a barre dell'articolo.

– Sí, grazie. Confezione regalo.

Cosí, per la sua dannata timidezza, gli tocca perdere un bel po' di tempo in attesa che la commessa abbia finito di avvolgere il fondotinta in un foglio di carta lucida e di legarci intorno un nastro a regola d'arte, con tanto di fiocco.

Quando finalmente può entrare in possesso del pacchetto, getta un'occhiata all'orologio: sono soltanto le sei, non c'è fretta, il fiorista non chiuderà di sicuro prima delle sette e mezzo. E avendo davanti a sé un po' di tempo, gli viene la curiosità di provare il fondotinta. Meglio accertarsi subito che vada bene, che il risultato sia quello voluto. Qui deve pur esserci una toilette, da qualche parte...

La toilette c'è, infatti; ma entrando, Luca trova un signore intento a lavarsi le mani. Non può certo farsi vedere mentre si trucca, bisogna aspettare che l'altro se ne sia andato. Per darsi un contegno, Luca va davanti a un lavandino e comincia a sua volta a lavarsi le mani, spiando con impazienza i gesti di quello sconosciuto che, cosí gli sembra, esegue l'operazione con uno scrupolo addirittura maniacale, strofinando accuratamente ogni singolo dito, e poi il palmo, e poi il dorso, neanche temesse il contagio della peste.

Ecco, grazie al cielo se ne va. Appena la porta si è richiusa Luca lacera la confezione regalo, apre la boccetta e comincia a spalmarsi in faccia uno strato di fondotinta con gesti rapidi e frettolosi, tenendo l'orecchio teso e guardandosi continuamente alle spalle, pronto a balzare a nascondersi in uno dei box al primo segno dell'arrivo di qualcuno.

Invece non arriva nessuno, per fortuna, e lui può procedere indisturbato. Pur essendo totalmente inesperto, riesce a spalmare il fondotinta in modo abbastanza uniforme sulle guance, sul naso, sul mento e sulla fronte; resterebbero ancora parecchi ritocchi da fare, ma anche cosí dovrebbe essere sufficiente per avere un'idea dell'effetto.

L'effetto... quando si guarda allo specchio, Luca rimane sbalordito. Ma chi è, questo ragazzo? dice a se stesso con una punta di divertimento. È lui e non è lui, gli somiglia eppure è tutta un'altra persona. Ma chi è? pensa di nuovo, e a un tratto quello spettacolo non lo diverte piú. Prova anzi uno strano senso di spaesamento, quasi di angoscia vedendo con quale facilità il suo volto possa diventare simile a quello di uno dei tanti immigrati che si incrociano per strada. Potrebbe essere il volto di un fattorino, di un lavavetri o, appunto, di un venditore di rose. E benché lo scopo fosse precisamente questo, di fronte a un risultato cosí convincente Luca è piú turbato che soddisfatto.

– Sí: somiglio tutto a quel poveraccio di Rajiva. Come un cingalese somiglia a un altro cingalese.

In quel momento, ha l'impressione di sentire la porta della toilette cigolare leggermente sui cardini e si affretta a sciacquarsi il viso, attingendo acqua a piene mani dal rubinetto del lavandino.

Non c'è piú traccia di fondotinta sul volto di Luca quando, tornato nel suo quartiere, varca la porta del negozio di fiori.

Il padrone gli fa un gran sorriso, appena lo vede. – Oh, Luca, come stai? E la mamma, e il papà?

– Grazie, tutti bene.

– È da un pezzo che non ti vedo: se non sbaglio dall'otto marzo scorso, quando hai comprato quelle belle mimose per tua madre. Ma adesso sei grande, ti sarai fatto la ragazza. Che cosa vuoi, questa volta, rose rosse?

– Sí, rose rosse. Ma anche gialle, o bianche, o come vuole lei.

– Si vede che non sai niente del linguaggio dei fiori. Rose rosse, lasciati servire. Ne ho qui di bellissime, arrivate fresche fresche dalla riviera.

– Troppo fresche per me, ho paura. E troppo care.

A queste parole, il fioraio lo guarda perplesso, e Luca ha l'impressione che la sua voce sia diventata piú fredda di qualche grado. – Ho capito: devi aver finito la paghetta.

– Non è questione di paghetta. Sono venuto... per chiederle un favore.

Quando il fioraio risponde: – Sentiamo, – la sua voce sembra appena uscita dalla celletta del freezer, ma Luca non si perde d'animo e gli spiega tutto, quasi tutto. Della sua presenza nel parco, quella notte, non fa parola; ma gli racconta che c'è un venditore di rose cingalese gravemente ustionato, costretto in ospedale dalla brutalità di un branco di teppisti (– Ah, ho capito: una bravata, – traduce il negoziante), e gli parla della moglie, dei due bambini, di quell'isola del paradiso dove la gente muore di fame. Gli spiega il suo progetto per aiutare quell'uomo, quella donna, quei bambini; e per tutta risposta si sente dire: – Sei matto, – con una voce che ora non è piú fredda, ma compassionevole, come di fronte a un caso disperato.

– Perché matto? A me sembra una buona idea.

– Ma cosa c'entri tu? Di cosa ti immischi?

– Ho le mie buone ragioni, per immischiarmi.

– Sarà, ma io non le capisco. Tu sei giovane, Luca, non hai ancora imparato a stare al mondo. Lascia perdere quella gente: è troppo diversa da noi.

– Grazie del consiglio; ma io non posso lasciarli perdere.

– Allora, fa' come credi.

– Ma lei è disposto a vendermi le sue rose? Non quelle belle e fresche, per la mia ragazza: le altre, quelle che butterebbe comunque nel bidone dell'immondizia. Se ne vendo un mazzo per due euro, a lei posso dare cinquanta centesimi; non di piú, perché quei soldi mi servono. Comunque è un buon affare, buttandole nel bidone non ci guadagnerebbe nulla.

Di tutti gli argomenti addotti da Luca, questo è il primo che sembri convincere il negoziante. – Qualcosa ne capisci, di affari... Quando ti sarai tolto certi grilli dalla testa, forse riuscirai a farti strada nella vita.

– Me la sto già facendo, la mia strada. A me piace cosí.

Il fioraio si stringe nelle spalle. – Be', contento tu... Diciamo ottanta centesimi. Adesso sono le sette meno un quarto: è presto, potrei ancora riuscire a disfarmi di un po' di merce. Ripassa tra le sette e mezzo e le otto (non piú tardi, perché stasera ho a cena mio cognato) e vedrò cosa posso fare per te.

Appena uscito dal negozio, Luca sente il bisogno di scrivere ancora alla Susi: *P.S. Sono appena stato dal fioraio e non ti ho comprato un bellissimo mazzo di rose rosse.* Poi pensa a quel negoziante, a quel caro vecchietto, che fin da piccolo lui era abituato a considerare una pasta d'uomo, un uomo dal cuore d'oro. In quel cuore, a un tratto, aveva scoperto una durezza che non si sarebbe aspettato; l'aveva scoperto capace di contrattare sul prezzo delle rose già marce, destinate al bidone dei rifiuti, pur sapendo di sottrarre in questo modo alcuni centesimi a una donna e a due bambini affamati. Certo, quelle sono persone lontane: troppo lontane, a quanto pare, perché la pietà del fioraio possa estendere fino a loro la sua portata. Persone diverse, come aveva detto; talmente diverse, che è da pazzi immischiarsi nei loro guai. Ma se è cosí, pensa Luca, allora forse non è un male essere pazzi. Magari riuscissi a essere davvero un pazzo, e non quell'egoista che dice la Susi.

Di nuovo, mentre dopo cena si scurisce il viso davanti allo specchio del bagno, si sente assalire da quel vago senso d'angoscia. Ma ormai è troppo tardi per tornare indietro: ha preso un impegno con se stesso e intende mantenerlo a ogni costo. Cosí indossa i vecchi jeans e il giubbotto infeltrito che ha scovato nel fondo del suo armadio ed esce alla chetichella, badando a non farsi sorprendere dai genitori (fortuna che a quest'ora sono come sempre in soggiorno, inchiodati davanti alla tivú).

Inforca la bici e alle dieci in punto eccolo davanti a un cinema multisala del centro, con il suo bravo cesto sotto il braccio, pronto a farsi avanti appena gli spettatori cominceranno a uscire. Ma dopo pochi minuti si accorge di non essere il solo ad aspettare: altri venditori di rose, cosí somiglianti a Rajiva che Luca quasi li scambierebbe per lui, si aggirano su quel marciapiede lanciandogli occhiate sospettose. Non hanno un'aria molto amichevole, e Luca si rende conto che devono temere la concorrenza del nuovo venuto.

Ancora pochi istanti, e sono in due ad avvicinarsi: due cingalesi, o indiani, o pakistani, un po' troppo ben piantati per i suoi gusti.

Oddio, che intenzioni avranno? Luca comincia a temere di essersi davvero messo nei guai.

Fermandosi a mezzo metro da lui, i due gli dicono qualcosa in una lingua incomprensibile. Sembrano domande, rivolte in tono minaccioso.

– Scusate, non capisco una parola. *Do you speak English?* Non parlate italiano?

I due lo guardano sbalorditi. – Italiano? Tu italiano?

A quanto pare, pensa Luca tutto contento, il mio travestimento funziona: mi avevano proprio scambiato per uno di loro.

– Sí, italiano. Sono qui per sostituire un vostro compatriota, un certo Rajiva, forse lo conoscete.

Ma i due, o non sono abbastanza esperti della lingua per capirlo, o Rajiva non devono averlo mai visto né sentito nominare, perché continuano a fissare Luca sbarrando gli occhi. Piú che stupiti, ora sembrano addirittura spaventati, e lui si domanda perché.

– Noi non fare male, – dice infine uno dei due. – Prego, non denunciare.

– Come? Chi dovrei denunciare?

– Noi non fare male, noi non clandestini. A casa avere permesso di soggiorno, giuro sui miei figli, domani portare.

Finalmente, Luca comincia ad afferrare il concetto: quei poveracci devono averlo preso per una spia, per un informatore della polizia.

– Ma no, cosa vi viene in mente? Io amico di Rajiva. Io qui per vendere rose...

Fiato sprecato: prima che abbia finito di parlare, i due sono già lontani. Hanno raggiunto il gruppo degli altri venditori di rose ai quali bisbigliano alcune frasi, rapidissimi, con gesti e occhiate furtive in direzione di Luca; e dopo un attimo, sul marciapiede non c'è piú traccia di cingalesi, o indiani, o pakistani, spariti tutti fino all'ultimo i venditori di rose; resta soltanto Luca, interdetto, a guardarsi attorno in quel deserto con la sua cesta sotto il braccio.

Certo, pensa, che quella gente deve avere una paura matta della polizia. Figuriamoci se hanno davvero il permesso di soggiorno: saranno senz'altro clandestini, proprio come Rajiva, e se li pescano rischiano di essere rispediti in patria. Sí, dev'essere gente che vive nel terrore. E gli si stringe il cuore all'idea di averli involontariamente spaventati, di averli costretti alla fuga impedendogli di guadagnarsi la serata.

Ormai gli è passata la voglia di vendere fiori, ma quando davanti al cinema comincia a crearsi una piccola folla di spettatori che escono e altri che entrano per l'ultimo spettacolo, si fa forza e comincia a esibire la sua merce. Le rose che quel brav'uomo del fioraio gli ha offerto al modico prezzo di ottanta centesimi non sono un granché, come era prevedibile, lui però ha avuto l'accortezza di mettere sul bordo di ciascun mazzolino le meno sciupate, nascondendo all'interno quelle già marce. È poco onesto? E chi se ne importa! Secondo Luca, il fine giustifica i mezzi, e se un tizio sborsa una quindicina di euro (senza contare la coca o il gelato) per portare al cinema la sua ragazza, può anche permettersi di spenderne due in piú per sfamare la famiglia di Rajiva.

Non è che la gente faccia la fila per contribuire a quell'opera buona: quando Luca tende il braccio offrendo i suoi mazzolini, la maggior parte delle persone si limita a scansarlo con aria infastidita, senza nemmeno scomodarsi a dire: «No, grazie». Qualcuno, però, si ferma: due tipi piú o meno della sua età, cosí incollati l'uno all'altra che il ragazzo fa fatica a liberare un braccio per prendere il portafoglio (anche lui e la Susi stavano incollati cosí, ricorda Luca con una fitta di nostalgia), un tizio piú anziano e cerimonioso che ha appena finito di tenere aperta la porta per la sua compagna tutta in tiro, e al quale lui si rammarica di non avere avuto la prontezza di chiedere almeno cinque euro, un gruppo di amiche che, in mancanza di corteggiatori, le rose hanno deciso di regalarsele da sé e se le dividono ridendo mentre si avviano verso la stazione del metrò...

Quando anche gli ultimi spettatori si sono allontanati, Luca conta nella sua tasca dieci euro. Non male, pensa, come inizio. Di questo passo, in una decina di giorni ne avrà messi insieme cento e allora li porterà a Rajiva e gli racconterà cosa ha fatto per lui, per sua moglie, per i suoi bambini. Come è fiero di se stesso, come si sente importante a questo pensiero... Ma poi, guardandosi intorno, vede gli altri venditori di rose che lo osservano da una certa distanza, mezzo nascosti dietro un cassonetto dei rifiuti, e si sente in colpa per avergli rubato la piazza.

– Visto? – grida facendo un gran gesto cordiale verso di loro. – Io vendere rose, io non fare la spia. Venite qui, non abbiate paura.

Ma di nuovo, è fiato sprecato: invece di avvicinarsi, quelli corrono via scomparendo rapidamente dietro l'angolo della strada, e Luca dice a se stesso che domani si cercherà un altro posto per vendere i suoi fiori.

— Lo sai cosa vuol dire: «Tu sei questo»?

— No, Rajiva, non lo so.

— Allora guarda quella mosca sul vetro.

— Hai ragione, è una vergogna: non dovrebbero esserci mosche in un ospedale.

— No, aspetta, io volevo dire un'altra cosa. Guarda quella mosca. Guardala bene.

— Sí, la guardo: e cosa avrebbe di speciale?

— Niente. Solo che quella mosca sei tu, tutto qui.

— Mi prendi in giro?

Muovendo a fatica il collo stretto dalle bende, Rajiva scuote la testa. — Se non ti piace la mosca, se è troppo piccola e bruttina, pensa pure a una cosa grande e bellissima.

— Quale?

— Quella che vuoi, perché tu sei tutte le cose. Sei la mosca, ma anche l'elefante. Sei il cielo e le montagne dell'Himalaya, e il grano di riso, e il grano di senape...

— E tu sei un matto, Rajiva, scusa se te lo dico. Sono tutti cosí, al tuo paese?

— Moltissimi, — risponde lui ridendo. — E anche tu, solo che non lo sai. Se non eri matto cosí, come facevi a essere un ragazzo buono?

— È strano, proprio ieri pensavo anch'io qualcosa del genere. Ma un conto è essere buoni, ammesso che io lo sia davvero, e un altro è credere di essere una mosca o un elefante.

— O l'infermiera bionda che cambia le bende. O me. Se tu non eri anche me, perché le mie bruciature dovevano farti tanto dispiacere? Hai detto cosí, quel giorno: «Tu non sai quanto mi dispiace».

– Scusa, ma che c'entra? Quella era soltanto... compassione.

– Non «soltanto», Luca. Prego, non devi dire «soltanto».

– Perché no?

– Perché la compassione è la cosa piú grande che c'è. Piú grande del cielo. Piú grande dell'Himalaya. È la compassione che ci dice: «Tu sei questo».

– Be', se la metti cosí... forse comincio a capirci qualcosa.

– Bravo. Ma se non capisci, fa lo stesso.

Luca si morde le labbra. Chissà chi si crede di essere, questo Rajiva: un maestro, un santone? E se è cosí intelligente, com'è che per guadagnarsi la vita deve andare in giro a vendere rose?

– Mi sa che al tuo paese facevi il professore.

– No. Il contadino.

– Bel contadino, se non sapevi distinguere una mosca da un grano di senape.

Di nuovo, Rajiva risponde con una risata, una risata allegra, cordiale, che fa pentire Luca della sua cattiveria.

– Va be', non importa. Il mondo è bello perché è vario, tu resta della tua idea e io resto della mia.

Questa volta, davanti a un ristorante; non troppo centrale, per non rompere le scatole agli altri venditori di rose. Dopo la puntata dal fioraio Luca arriva lí davanti alle otto e mezzo, ma non c'è ancora un gran movimento. Ne approfitta per scrivere un messaggino a chi sappiamo: *Ciao Himalaya, ciao piccola mosca, ciao Luca. Tvsempreb, anche se non te lo meriti.*

Poi, siccome ha fame, decide che tanto vale farsi un panino e si dirige verso un bar poco distante.

– Che vuoi? – gli dice in tono poco socievole il barista, squadrando la sua faccia scurita dal fondotinta.

– Mah, non saprei... Lei cosa mi consiglia? Com'è quello con lo speck e la crema di funghi?

– Come vuoi che sia? Fin troppo buono.

– Allora quello. E una lattina di coca.

– Okay: una delizia tirolese e una lattina di coca. Ma per piacere, vai a mangiare fuori.

– Come, fuori?

– Non lo sai l'italiano? Ho detto fuori.

– Ho capito, ma perché?

– Perché sí. Se non ti va, c'è un altro bar dietro l'angolo.

E Luca va all'altro bar; ma questa volta è piú cauto.

– Scusi, capo, per favore, potrei avere uno speciale alla porchetta e una lattina di coca? Se non è troppo disturbo...

– Giuseppe, uno speciale! E una lattina di coca per Bingo Bongo!

Ma chi diavolo è Bingo Bongo? si domanda Luca, incerto se ricambiare o no il sorriso del barista. Comunque, il panino è buono e la coca bella fresca, e lui se li gode tutti e due appoggiato al banco del bar.

Cosí rifocillato, ritorna alla sua postazione davanti al ristorante, ma i clienti o non ci sono proprio, oppure devono essere già dentro, perché fino alle nove e mezzo (traffico a parte) lí intorno c'è la stessa quiete che uno si aspetterebbe di trovare in un cimitero.

A quanto pare nessuno vuol saperne di entrare in quel ristorante, ma verso le dieci, finalmente, qualcuno esce. Una signora sola: non certo il target piú promettente, pensa Luca, ma ad ogni buon conto le si avvicina tendendo il suo mazzolino migliore. Un passo avanti lui; un balzo indietro lei, come se avesse visto un serpente strisciare sull'asfalto nella sua direzione.

Idiota, pensa Luca. Lasciamo che vada. Ma la signora non se ne va: addossandosi piú che può alla vetrina del locale, come per chiedere protezione, comincia a frugare nella borsa e tira fuori, dopo lunghe e affannose ricerche, prima un pacchetto di sigarette, poi un accendino.

Ah, ecco, una fumatrice, pensa Luca: è uscita un attimo per fare qualche tiro. Magari sarà meno scorbutica quando avrà superato la crisi d'astinenza. E le sorride, dicendosi che è sempre buona politica rendersi simpatici ai potenziali clienti.

La signora, però, è davvero troppo nervosa, non si sa se per la crisi d'astinenza o per la vicinanza di quel ragazzo dal viso bruno. Prima che possa raggiungere la sigaretta, l'accendino le cade di mano battendo un tonfo sordo sull'asfalto del marciapiede e Luca, che è un tipo beneducato, d'istinto si fa avanti per raccoglierlo.

Non l'avesse mai fatto: a quel brusco avvicinamento, la donna reagisce addirittura con un grido.

– Aiuto! Aiuto! Lasciami stare!

– Ma perché? Che cosa si è messa in mente? Io volevo soltanto aiutarla.

– Grazie, non mi serve. Sta' lontano da me, altrimenti chiamo la polizia. Ho solo venti euro nella borsetta, se vuoi prendili pure...

– Ma quali venti euro? Quale polizia? – dice Luca allibito.

– Ecco, guardi: qui c'è il suo accendino. Lo prenda e si accenda con calma la sigaretta.

Ma alla donna, evidentemente, è passata la voglia di fumare. Agguanta con mossa fulminea l'accendino (d'oro, un Cartier: la madre di Luca ne ha uno preciso identico) e torna di corsa dentro il ristorante con l'aria di chi sta per raccontare a chiunque sia disposto a sentire il feroce tentativo di aggressione appena subito.

Qui tira una brutta aria, pensa Luca, meglio andarsene. Invece, dimenticando ogni prudenza, spalanca di scatto la porta del ristorante e le grida dietro: – Tu sei questo, capisci, stupida oca? Tu sei questo! Tu sei questo povero cristo che muore di freddo sul marciapiede per vendere le rose!

Poi corre via, perché la donna non si è nemmeno voltata e il padrone del ristorante è uscito da dietro il banco del bar per venire verso di lui a passi minacciosi. Raggiunge la via laterale dove ha lasciato la sua bici, e mentre la slega dice a se stesso che non è per niente facile fare il volontario.

Ma non saranno mica tutti cosí, gli italiani, pensa Luca quella notte mentre cerca di addormentarsi, e subito dopo si stupisce di aver potuto pensare in questo modo agli «italiani», come se lui non ne facesse parte, solo per essere uscito un paio di sere travestito da immigrato. Che mi prende? Cosa vado a immaginare? dice a se stesso. Dopo tutto sono italiano anch'io, proprio come il fioraio, i due baristi e la signora isterica. Ci vuol altro che una giacca vecchia e un po' di fondotinta per fare di me qualcosa di diverso...

La mattina dopo, comunque, prova un grande sollievo rimettendosi nei suoi panni di studente di buona famiglia. È una giornata di pioggia e deve andare a scuola in autobus, ma lungo il tragitto assapora la felicità di sentirsi a suo agio tra i passanti: nessuno lo guarda storto, alla fermata, nessuno lo scansa come se avesse la peste, e quando entra in un bar per ordinare un cappuccino con brioche, il barista non si sogna nemmeno di chiedergli di andare a mangiare fuori.

In effetti, pensa Luca, abiti e fondotinta possono fare una bella differenza. E per quanto sia contento di essere un italiano a casa propria, accettato da tutti, non può fare a meno di osservare con un nuovo sguardo i tanti stranieri dall'aria malmessa che gli capita di incontrare. Un po' di pena gliene facevano anche prima; adesso però gli sembra di capirli meglio, di poter immaginare i loro sentimenti. Capisce, per esempio, perché quel ragazzo africano, prima di occupare un sedile libero sull'autobus, si è guardato intorno con aria timidamente interrogativa, come per domandare: «Posso o non posso? Gli altri passeggeri avranno qualcosa da ridire?», e perché, nel bar, quell'anziano cliente dall'aria orientale, probabilmente un cinese, sopporta con aria cosí rassegnata la villania del padrone che gli si rivolge con il «tu».

Strano: a tutto questo, prima, non aveva mai fatto caso. Notava, è vero, che c'erano in giro un sacco di immigrati, ogni anno un po' di piú, e commentava tra sé o con gli amici, ripetendo frasi già sentite: «Mah... È un bel problema. Dove andremo a finire, di questo passo?» Ed ecco che stamattina, all'improvviso, non vede piú intorno a sé «un sacco di immigrati»: vede una donna magrissima dalla pelle nera che deve stare andando a fare le pulizie in qualche appartamento e cammina sotto la pioggia riparandosi sotto un ombrello a grossi fiori gialli e rossi, forse perché ha nostalgia dei colori della sua Africa; vede un gruppetto di ragazzi slavi che ostentano una spavalderia da bulli, ma cambiano prudentemente marciapiede appena scorgono un vigile in lontananza; vede il peruviano, il filippino, l'albanese, li vede tutti uno per uno, e si domanda se la «compassione» di cui parlava Rajiva non consista anche, o innanzitutto, in questo modo di guardare.

Eppure non riesce a pensare davvero «Tu sei questo»: forse gli sarebbe addirittura piú facile con una mosca o con un elefante che con esseri umani cosí diversi da lui. Per capirsi con un altro uomo bisogna come minimo parlare la stessa lingua, mentre con gli animali il problema non si pone nemmeno, all'elefante puoi dare una carezza o allungare una banana, ammesso che la mangi, e con la mosca... Già, forse con la mosca è piú complicato; ma nessuno, nemmeno quel pazzo di Rajiva, deve avere mai cercato sul serio di intendersi con una mosca.

Comunque, la cosa non lo riguarda piú di tanto: lui è italiano, ci mancherebbe altro. Cittadino comunitario, zona euro, quanto c'è al mondo di piú protetto e garantito. Che poi per gioco, per pietà, per quel che gli pare, di tanto in tanto voglia assumere i panni di un immigrato cingalese, non cambia niente a questo dato di fatto.

Già: Luca se lo dice per tutto il giorno, mentre si gode il suo essere padrone della città. Peccato che, la sera, le cose cambino completamente.

Si chiude in bagno, quando sa i genitori inchiodati davanti al televisore. Si spalma sul viso il suo fondotinta (ma perché chiamarlo cosí? È un cerone, un trucco di scena), indossa il suo costume da venditore di rose e via, alla chetichella, in ascensore e poi nel labirinto ostile delle vie cittadine.

Da questo momento non è piú padrone del mondo: ormai lo sa, prima ancora di inforcare la bicicletta per dirigersi verso la zona dei cinema e dei ristoranti. È diventato... come dire? Opaco. Uno su cui la luce non si ferma, e che deve arrangiarsi come può nel buio di una città estranea.

Davvero non è facile andare in giro con i vestiti logori e la faccia scura da immigrato. Se poi uno lo fa non perché ci è nato, ma da «volontario», in certi momenti gli viene addirittura spontaneo darsi dell'idiota per avere voluto addossarsi un simile fardello. Con il passare dei giorni, a Luca sembra sempre piú di essere due persone diverse: il ragazzo che la mattina va a scuola in bicicletta percorrendo le vie della città senza problemi, e se si ferma in un bar o in un negozio è accolto con rispetto e cordialità, e l'altro, quello nel quale si trasforma tutte le sere. Quest'altro ragazzo, nessuno sembra disposto a trattarlo con rispetto, figuriamoci poi con cordialità. Dovunque vada, sente che la sua presenza dà fastidio, quando non spaventa addirittura, come se il colorito piú bruno e l'abbigliamento povero bastassero a fare di lui un tipo sospetto. È incredibile, pensa Luca, che basti cosí poco per diventare uno straniero.

— Ah, Luca, dimenticavo di dirti: domani non tornare. Non voglio che torni.

— Come sarebbe? Ti sei stufato delle mie visite?

– Sí. Molto stufato, – risponde Rajiva, guardandolo con un sorriso che basta da solo a smentire le sue parole. – E anche tu, magari, ti sei stufato di fare il volontario.

Quest'uomo, pensa Luca, mi legge sempre nel pensiero.

– Macché: lo faccio con piacere.

– Va bene. Ma domani qui trovi soltanto il letto vuoto perché mi devono... come si dice? Operare.

– Ah, sí, lo sapevo. Me l'aveva detto l'infermiera. Ma ragione di piú, non ti sembra? Passerò sul tardi, per avere notizie.

– Non muoio, sai? Non si muore per quell'operazione.

– Morire? Come ti salta in mente? Anzi, questa è la volta che guarisci, ne sono piú che sicuro.

– E allora, se sei sicuro, è inutile che vieni.

Il ragionamento, Luca deve ammetterlo, non fa una grinza. Con quest'uomo non si può proprio discutere, non c'è verso di spuntarla. Se ne sta lí nel suo letto, alla vigilia di un'operazione, come se la cosa nemmeno lo riguardasse. Già: il solito fatalismo orientale...

– Ve la prendete tutti cosí calma, nel vostro paese? Per forza poi morite di fame.

Appena finito di parlare è già pentito di quel che ha detto, teme di aver turbato Rajiva riportandogli alla mente il pensiero della moglie e dei figli che, per quanto ne sa lui, di questo passo rischiano anche loro di morire di fame. E infatti, ecco di nuovo quelle rughe di preoccupazione che si disegnano all'improvviso sulla sua fronte. Per cancellarle Luca è tentato di dirgli tutto, di confessargli la sua vita segreta di venditore di rose; ma finora è riuscito a raggranellare talmente poco, troppo poco per assicurare la sopravvivenza di una famiglia persino nell'isola del paradiso. No, meglio aspettare.

– Scusa: lo so anch'io che là non si muore di fame. Anche volendo, come sarebbe possibile? Con tutte quelle banane, e i pesci, e le noci di cocco...

– Già, e quella roba che scende dal cielo... Come la chiamate? La manna.

– Se no, che isola del paradiso sarebbe?

Rajiva sospira, rigirandosi tra le lenzuola per trovare una posizione piú comoda che dia sollievo al suo corpo piagato. – Io non la prendo calma, sai, Luca? Io penso sempre a loro, il giorno e la notte.

– Ci penso anch'io, credimi. Ci penso davvero molto spesso. Quando ti ho detto che mi dispiaceva di vederti in questo stato, mi hai domandato: «Perché?», e io non ho potuto risponderti. Nemmeno adesso, se mi domandassi perché ci penso tanto, potrei risponderti, però...

– Te l'ho detto: perché sei un ragazzo buono.

– Potrei raccontarti qualcosa che ti farebbe cambiare idea.

– Racconta, allora. Io ti ascolto.

A queste parole, Luca si sente invadere da un vero e proprio terrore. – Ma no... cose mie, cose personali. Non voglio annoiarti con le mie storie proprio adesso, a poche ore dall'operazione. Pensa a riposarti, piuttosto. Vedrai che andrà tutto bene.

– Se tu non vuoi raccontare, racconto io, – risponde Rajiva guardandolo dritto negli occhi. – Se non ti annoi, ti racconto io una storia.

– Annoiarmi? Figurati! Sono tutto orecchie. Che cos'è, una fiaba delle tue parti?

– No. Di queste parti. È la storia di un uomo che sta dormendo; non molto comodo, ma sta dormendo. Fa freddo, nel posto dove dorme, ma lui si copre con i sacchetti di plastica ed è contento lo stesso, perché oggi ha venduto tante rose e può mandare i soldi alle persone care che li aspettano. Cosí si addormenta lo stesso, anche se ha freddo, e sogna una donna. Una donna bellissima, sai, Luca? O forse non bellissima, ma a lui sembra cosí. Sogna che questa donna lo aspetta sulla porta della capanna e quando lui arriva sorride e dice: «Entra, sei il benvenuto». E dice: «Entra, amore mio». E l'uomo entra, e anche la capanna non è molto comoda, ma lui è contento lo stesso perché ha venduto qualcosa al mercato e le monete ballano nella sua tasca facendo *clin clin*. Ci sono anche due bambini, nella capanna: piccoli piccoli, un maschio e una femmina, e l'uomo accarezza le loro teste, e le accarezza, e le accarezza di nuovo, prima di sedersi a mangiare il suo riso. E poi...

– E poi?

– Poi il sogno finisce. L'uomo non è ancora sveglio, ma sente già il fuoco sulla pelle. Sente come tanti, tantissimi spilli che lo pungono tutti insieme, sempre piú forte, sempre piú dentro, e lui grida, ma è inutile gridare, gli spilli lo pungono ancora, e poi ancora, e l'uomo apre gli occhi e vede che ha il fuoco dappertutto, sulle braccia, sul petto, sulle gambe...

– E poi? Cos'altro vede?

– Niente. Solo il fuoco.

– Non sei riuscito a vedere i tuoi aggressori?

– Ombre. Ombre che corrono. E poi...

– E poi?

– Mi sono svegliato di nuovo. Qui nell'ospedale. E quando ero sveglio, dopo un po' viene un ragazzo. Non un ragazzo buono. Un ragazzo. Viene a trovare me, e mi chiede se le bruciature fanno male.

Luca guarda fisso le proprie ginocchia, senza trovare il coraggio di sollevare lo sguardo.

– Una brutta storia, – dice alla fine.

– Sí, ma anche una bella storia. Forse tutte le storie sono brutte e belle, secondo come le guardi. Adesso, vai, Luca: i ragazzi devono studiare. Anche a quei due piccoli nella capanna abbiamo comprato un libro per imparare a leggere.

Davanti a un cinema. Ora comincia a sentirlo anche lui, il gelo nelle ossa, anche se non è nato nell'isola del paradiso ed è abituato da sempre a queste rigide avvisaglie dell'inverno. Forse il giaccone che indossa è troppo vecchio e sciupato per fare ancora il suo dovere contro il freddo; o forse la colpa è della pioggia che stasera scende a catinelle, mista a vento, avvolgendo la città in un umidore irrequieto. Anche gli spettatori devono aver freddo, perché si infilano veloci nel cinema senza degnare di uno sguardo lui e le sue rose. Tutti tranne uno: una ragazza che, dopo averlo superato quasi di corsa, si ferma di colpo sulla soglia come inchiodata da un fulmine e si volta verso di lui per guardarlo a bocca aperta.

Adesso anche lui la riconosce, con un tuffo al cuore. Ma che ci fa la Susi proprio qui, a quest'ora, un giovedí sera? Quando mai ha avuto voglia di andare al cinema da sola? Per la verità, proprio sola non è: guardando attraverso i vetri Luca vede l'amica prediletta, quella carogna della Stefi, che l'aspetta nell'atrio del cinema rivolgendole grandi segni di incoraggiamento. A quanto sembra avevano appuntamento proprio lí e ora l'altra si sta domandando per quale ragione la Susi non si decida a entrare.

La Stefi, per fortuna, non l'ha visto; ma la Susi sí. L'ha visto e non crede ai suoi occhi, almeno a giudicare dall'espressione sbalordita con cui continua a fissarlo senza muoversi dalla soglia. Pietrificata: è questa la parola, e anche Luca crederebbe di essere stato tramutato in pietra se non fosse per il sangue che sente affluire rapidissimo al volto in una vampa di vergogna.

Sembra un'eternità; in realtà è solo un attimo, la Susi non ha ancora fatto in tempo a richiudere la bocca che Luca si è ripreso da quella momentanea paralisi per correre a nascondersi dietro l'angolo della strada. Sí: proprio come quei cingalesi che l'avevano scambiato per un informatore della polizia.

Dopo un minuto è già lontano. Chi se ne importa della bici? L'importante è sparire. Sparire da quella maledetta via, da quella zona, possibilmente dal mondo; non mettere piú piede in nessun posto dove ci sia anche solo una remota probabilità di incontrare la Susi. Che cosa penserà di lui, dopo averlo sorpreso a vendere rose davanti a un cinema come l'ultimo degli accattoni? Se mai

Luca aveva nutrito la speranza di poter fare pace, ora non ci spera piú; sente di essersi reso ridicolo, forse spregevole agli occhi della ragazza che ama, comparendole davanti in quei panni miserabili, intento a quella miserabile occupazione, e mentre corre a perdifiato per le vie della città seguendo vagamente, per puro istinto, la direzione di casa, vede davanti agli occhi certe immagini, certe scene, certi istanti preziosi che neppure ricordava, e non sa se sia per questo o per l'affanno della corsa che sente il suo cuore come sul punto di scoppiare.

A casa, si chiude in bagno e si affretta a struccarsi il viso con gesti disperati, cosí violenti che, appena ha finito, guardandosi nello specchio scopre di essersi graffiato a sangue, come gli adulti quando si fanno maldestramente la barba. Lui la barba non se la fa ancora; è un ragazzo che, forse per incoscienza, forse per generosità, forse per essersi imbattuto in un destino piú grande di lui, si è addossato un fardello troppo grave persino per un uomo, e ora sente le sue spalle cedere sotto quel peso.

Si spoglia, si infila a letto, rifugiandosi sotto le coperte come faceva da bambino quando la mamma l'aveva sgridato, ma il pensiero della Susi lo insegue anche lí. Ricorda quanto gli piaceva sentire i compagni di scuola pronunciare i loro nomi insieme, tutto d'un fiato, «illucaelasusi», un unico, caldissimo nome steso su di loro come una coperta doppia, e pensa che ora quel nome non sarà pronunciato mai piú. «Mai»: che parola terribile. Luca non ne aveva ancora sentito tutta l'amarezza, non si era reso conto che a volte, nella vita, le cose passano per non ritornare.

Il mattino dopo deve fare un grande sforzo su se stesso per trovare il coraggio di andare a scuola. Di proposito arriva un po' in ritardo, quando la folla degli studenti davanti all'entrata ha già cominciato a disperdersi, e lega la bici a testa bassa per non incontrare lo sguardo di nessuno: gli sembra indispensabile evitare a tutti i costi non solo la Susi e la Stefi, ma anche le altre persone cui le due ragazze potrebbero avere già raccontato di averlo sorpreso a vendere rose. Perché l'avranno raccontato di sicuro: ai compagni di classe, agli amici, magari a tutta la scuola. La Stefi è una carogna, la Susi no, ma entrambe sono femmine e dunque, secondo l'opinione di Luca, pettegole per natura. Figuriamoci se rinuncerebbero a spiattellare un segreto cosí...

In classe gli sembra che tutti i compagni, dal primo all'ultimo, non facciano altro che sbirciarlo di soppiatto; gli sembra che tutti i loro scambi di parole sussurrate e le loro risatine si riferiscano a lui, e persino nell'espressione dei prof ha spesso l'impressione di cogliere un guizzo sarcastico. Ma sopporta con pazienza, ora dopo ora: che altro potrebbe fare? Guarda un po', pensa, in che situazione ridicola sono andato a cacciarmi, e solo per aiutare quella gente che nemmeno conosco. Il fioraio non aveva poi tutti i torti, stupido io a non dargli retta.

Quando suona la campanella della ricreazione fa per alzarsi, ma subito cambia idea. Prende dallo zaino il manuale di storia e finge di ripassare la lezione assumendo un'aria concentrata, come per dire: «Sono troppo occupato, è inutile che veniate a parlarmi». E infatti, nessuno viene a parlargli: a poco a poco l'aula si svuota, attraverso la porta gli arrivano sempre piú forti le voci allegre dei compagni che chiacchierano nel corridoio e quasi non riesce a credere che tra quelle voci, fino a ieri, ci fosse anche la sua. Suonano cosí serene, cosí spensierate, come se appartenessero agli abitanti di un pianeta completamente diverso dove i problemi non esistono, e tutti vivono felici e contenti senza dover decidere cosa è giusto fare e cosa no. Insomma, una specie di paradiso terrestre, prima che a quell'altro pazzo di Adamo venisse in mente di addentare la mela. Già: quanto sarebbe piú semplice per tutti, ma soprattutto per Luca, se laggiú ci fosse ancora il giardino del paradiso anziché un povero paese chiamato Sri

Lanka, dal quale la gente è costretta a emigrare per mantenere la famiglia...

È immerso in queste amare riflessioni quando all'improvviso si sente sfiorare una spalla. Di scatto, volta la testa e chi si trova davanti? Proprio lei, la Susi, piú carina che mai con i suoi jeans, il suo maglione azzurro, e quei capelli dall'aria cosí morbida e vaporosa da far venire a Luca, come sempre, la voglia di passarci sopra le mani. Ma ovviamente non si sogna nemmeno di farlo, data la situazione; anzi, quasi lo irrita che la Susi continui a piacergli tanto. Se non la trovasse cosí bella, forse si vergognerebbe meno di se stesso e ora potrebbe persino sostenere il suo sguardo; invece torna a chinarlo sul libro, come se neppure si fosse accorto di lei.

– Be', Luca? Non si saluta?

– Sí. Ciao, – risponde lui con ostentata freddezza. Poi, dopo una pausa durante la quale la ragazza rimane immobile dietro la sua sedia: – Adesso che ti ho salutata, se permetti vorrei riprendere a studiare in santa pace. Non ho nessuna voglia di fare conversazione.

– Nemmeno io.

– Bene, allora siamo in due –. E appena pronunciate queste parole, Luca pensa: No: eravamo in due, prima che io rovinassi tutto.

Un altro silenzio. Gli sembra che la Susi muova un passo per allontanarsi, ma poi la sente fermarsi di nuovo, come indecisa.

– Dimmi una cosa: eri proprio tu?

– Come, scusa?

– Ieri sera. Davanti al cinema.

– Sei venuta fin qui dalla tua classe solo per farmi questa domanda?

Ora la sente tirare un respiro profondo. Fa sempre cosí, per dominarsi, quando si arrabbia con qualcuno, e stringe le mani a pugno finché le nocche diventano bianche. Lo starà facendo anche adesso, pensa lui, ma non si volta a guardare.

– Hai ragione, Luca: non sono affari miei. Se non vuoi parlarne...

– Appunto. Non voglio parlarne.

– Scusa, sono stata una stupida a preoccuparmi per te. Ti garantisco che non succederà mai piú.

Di nuovo quel «mai», quella parola orrenda che colpisce l'orecchio di Luca come una staffilata improvvisa. Eppure, quando sente la ragazza allontanarsi, non fa niente per trattenerla: rimane lí, impietrito nel suo banco, con il cuore gonfio di mortificazione e di orgoglio, a scorrere senza afferrarne una sillaba le righe del manuale.

Rajiva non si è ancora svegliato dall'anestesia, ma ormai l'infermiera bionda considera Luca una specie di parente e gli ha permesso di restare al capezzale del malato. L'operazione, a quanto sembra, è andata benino; ma nessuno si azzarda a fare previsioni circa la durata della degenza. Appollaiato su una scomoda sedia di metallo, Luca osserva il volto del suo amico, cosí diverso, cosí privo d'espressione ora che i grandi occhi scuri sono chiusi e non illuminano piú i lineamenti con il loro sguardo caldo e gentile. «Il suo amico»? Chissà come gli è venuta in mente questa definizione. Luca è tanto meno sicuro che sia giusta quanto piú a lungo scruta quel volto scoprendolo irrimediabilmente estraneo, quasi alieno. Gli zigomi, per esempio; il taglio delle palpebre; il naso piatto e le labbra rosee e carnose, che gli ricordano vagamente le sembianze di qualche idolo arcaico. Sí, è proprio il genere di faccia che ci si aspetterebbe di trovare, scolpita nella pietra, penetrando nel folto di una giungla tropicale, non certo nella linda cameretta di un ospedale europeo. Non c'è niente da fare, pensa Luca, lui è di una razza e io di un'altra: come potremmo capirci? Come potremmo essere davvero amici? E a un tratto si domanda: Ma cosa ci faccio qui? E l'intera impresa cui ormai da settimane si dedica con tanto zelo gli appare folle e assurda, un'idea strampalata che non sarebbe mai passata per la testa a un ragazzo piú maturo. Se cosí non fosse, stamattina avrebbe pure trovato il coraggio di parlarne alla Susi; invece, quando lei gli ha domandato: «Eri proprio tu?», non è riuscito nemmeno a pronunciare un semplice «Sí».

Semplice per modo di dire; semplice solo in apparenza. Quanto piú ci riflette, tanto piú gli sembra un compito disperato rispondere a una domanda simile secondo verità. Già: chi è quel ragazzo? È davvero Luca, che ogni sera si traveste da venditore di rose cingalese per compiere un'opera buona? O è l'identità del venditore di rose che ogni sera si impadronisce di lui, volente o nolente, come i demoni, almeno nei film dell'orrore, si impadroniscono delle loro vittime per farne quel che piú gli piace? Questo pensiero gli dà le vertigini; ma poi gliene viene un altro ancora piú inquietante, e cioè che tra le due possibilità, in fondo, non ci sia una gran differenza. Anzi, che non ce ne sia nessuna: Rajiva direbbe proprio cosí. «Tu sei questo»: giusto? Con questa semplice formula (semplice per modo di dire) liquiderebbe senza tanti complimenti il dubbio di Luca. È l'Himalaya, a vendere le rose davanti ai cinema; è la mosca, è il granello di senape. È quella compassione che lega l'uno all'altro tutti gli esseri e alla quale lui presta soltanto il braccio, il cuore, la mente. E chi sta aspettando, nell'isola del paradiso, di ricevere quei soldi accumulati con tanta fatica? Sempre l'Himalaya, sempre la mosca; o in altre parole, sempre Luca.

Già: e lui, nella mezz'ora scarsa della ricreazione, avrebbe dovuto cercare di spiegare questo delirante pasticcio proprio alla Susi, che avrà tutti i difetti del mondo ma è una ragazza di buon senso. Gli avrebbe riso in faccia, e poi ne avrebbe riso ancora con quella carogna della Stefi, e prima che suonasse l'ultima campanella Luca sarebbe diventato lo zimbello della scuola.

Di nuovo osserva quel volto immobile da idolo tropicale. Tu sei questo, dice a se stesso, tu sei voluto diventare Rajiva, hai voluto calarti fino al collo nel suo destino, come se non ci fossero altri modi piú sensati per procurare un po' di soldi alla sua famiglia. Risparmiare sulla paghetta, per esempio, oppure raccontare quel caso pietoso ai suoi genitori, che erano persone di buon cuore e forse gli avrebbero allungato volentieri una banconota da cento euro da infilare in una busta e spedire in forma anonima ai tre derelitti. Tutto lí: semplice come bere un bicchier d'acqua. Perché non ci aveva pensato prima? E perché, anche adesso che finalmente ha capito quale fosse la soluzione piú logica e razionale, a quella stessa logica, a quella razionalità, qualcosa in lui si ribella come davanti a una forma di avarizia morale?

Stupidaggini, pensa distogliendo lo sguardo dal letto del malato: da domani farò proprio cosí. È ora di finirla di rendersi ridicoli andando in giro con la faccia tinta e la cesta di rose sotto il braccio. Chiederò a Rajiva l'indirizzo dei suoi, e se non vorrà darmelo, tanto peggio; io, comunque, il mio aiuto gliel'avrò offerto.

Sta ancora meditando sulla correttezza, anzi, sull'inevitabilità di quella scelta, quando all'improvviso si sente sfiorare una mano. Si volta di scatto verso il letto: Rajiva non ha ancora aperto gli occhi, ma nel primo albeggiare della coscienza le sue dita cercano a tentoni quelle di Luca.

– Sei qui?

– Certo che sono qui, Rajiva. Te l'avevo detto che sarei venuto.

Con un sospiro soddisfatto, il malato stringe debolmente la sua mano. – Amico, – mormora. – Amico mio.

E ora Luca sa che cosí è, cosí deve essere, che la definizione è proprio quella giusta.

Non c'è niente da fare: gli tocca riprendere la sua cesta. Ancora ogni sera davanti a un locale, a un ristorante, a un cinema, badando bene a evitare quello dove era avvenuto il malaugurato incontro con la Susi; ogni sera a battere i denti dal freddo nell'aria sempre piú rigida, perché lui un giaccone abbastanza pesante ce l'avrebbe, ma firmato, di lusso, non certo del genere che ci si aspetta di vedere addosso a un venditore di rose.

Oggi per giunta piove di nuovo a dirotto e Luca, per riparare se stesso e soprattutto i suoi fiori, deve tenere aperto l'ombrello, il piú vecchio e scassato che è riuscito a trovare rovistando nell'armadio a muro dell'anticamera. La tela, qua e là, è persino strappata e lascia filtrare qualche goccia che va a cadere dritta dritta sulla testa di Luca; ogni tanto lui ci passa sopra il braccio per asciugarsi e si consola pensando che quell'umidità, se non altro, aiuta a mantenere le rose belle fresche, come se fossero appena uscite dal negozio del fioraio.

Dopo una mezz'ora, però, le gocce isolate si trasformano in veri e propri rivoli d'acqua: a quanto sembra il vecchio ombrello non ne può piú, e non ne può piú nemmeno Luca, che decide di spostarsi su un grande corso poco distante dove i portici gli offrono la possibilità di continuare il suo lavoro all'asciutto. Sceglie un punto strategico, all'angolo di una traversa dove si trova un teatro, e dopo avere chiuso l'ombrello con un sospiro di sollievo ricomincia a tendere il braccio per proporre ai passanti i suoi mazzolini.

Solo dopo qualche tempo nota che dall'altra parte della strada, tra portico e marciapiede, c'è uno di quei fornelletti, o bracieri, o comunque si chiamino, sui quali i venditori ambulanti fanno cuocere le castagne, e osservando meglio attraverso la coltre di pioggia scorge anche il caldarrostaio, un ometto un po' curvo, probabilmente anziano, che armeggia con aria esperta intorno alle braci. Anche l'uomo deve aver visto Luca: infatti, senza parere, di tanto in tanto si volta a dare una sbirciatina dalla sua parte. Be', perché continua a guardarmi? pensa lui. Non avrà intenzione di chiamare i vigili? È vero che, per una persona che si ferma a comprare le rose, almeno dieci tirano dritto preferendo concedersi un bel cartoccio fumante di castagne, ma forse al caldarrostaio persino quella modesta concorrenza dà fastidio, e tra poco deciderà di far valere i suoi diritti di ambulante provvisto di regolare licenza.

Dopo qualche minuto i suoi timori sembrano confermati, perché l'uomo, approfittando di un momento in cui per la strada non passa nessuno, con un brusco gesto del braccio fa cenno a Luca di avvicinarsi. Ecco, pensa il ragazzo, ci siamo: adesso mi dirà di sloggiare. Sulle prime fa finta di niente, ma l'uomo insiste a chiamarlo, e alla fine lui attraversa la strada per raggiungerlo, preparandosi al peggio.

– Ah, meglio tardi che mai, – dice il caldarrostaio. – È mezz'ora che mi sbraccio a chiamarti.

È davvero un uomo anziano, uno di quei tipi di vecchi contadini con il volto raggrinzito e come cotto dalle lunghe giornate trascorse nei campi sotto il sole; e dall'aspetto, dall'accento, è indubbiamente un italiano.

– Scusi, capo, non l'avevo vista. Non si preoccupi, adesso me ne vado.

– Come, te ne vai? Ma se sei appena arrivato! Dài, mettiti un po' qui vicino al fuoco, mi faceva troppa pena vederti lí al freddo, a tremare come un ghiacciolo.

– Per questo mi ha chiamato?

– E perché, se no? Tanto adesso è un'ora morta, sono tutti a tavola o dentro i cinema. Tanto vale che ci prendiamo un po' di riposo anche noi.

Luca non crede alle sue orecchie. – Be'... grazie! Grazie tante! Allora, se non disturbo, mi siedo un momento qui vicino a lei, perché effettivamente è una serata molto fredda.

– Eh sí, specie per uno come te. Da dove vieni, si può sapere?

– Sri Lanka. Isola di Ceylon.

– Non mi dice niente. Un posto caldo?

– Sí, molto caldo.

Con un sospiro, il vecchio versa un po' di castagne in un cartoccio. – Ecco, prendi. Ti piacciono? Le hai mai assaggiate?

– Mi piacciono moltissimo, grazie.

E in effetti, quando comincia a sgranocchiare le caldarroste, a Luca sembra di non avere mai mangiato niente di piú buono.

– Lei è cosí gentile... non me l'aspettavo.

– Per forza sono gentile: io lo so cosa vuol dire trovarsi lontani da casa, e senza un soldo, e con tutti che ti guardano come se avessi la lebbra. Lo so bene, ci sono passato anch'io. Mio fratello maggiore, poveraccio, è morto in una miniera del Belgio, dove sgobbava come un mulo per mandare qualcosa a noialtri rimasti al paese; e quando non è piú risalito da quel pozzo, è toccato a me partire, a quindici anni, con una valigia di cartone.

– Incredibile! Ma quando è successo, tutto questo?

– Saranno cinquant'anni o poco piú. E non ero mica il solo, sai? Allora erano tanti gli italiani che dovevano emigrare per guadagnarsi un tozzo di pane, e là dove andavano, in Belgio, in Svizzera, in Germania, non li trattavano certo con i guanti.

– E perché? Che differenza c'era tra un italiano e un tedesco? Siete tutti europei, se non sbaglio, adesso avete persino la moneta unica...

– Sarà, ma allora era diverso. Tanto europei non ci consideravano, credi a me, forse perché eravamo piú poveri di loro, e i poveri danno fastidio, a vederseli intorno. Secondo certa gente avremmo dovuto estrarre il loro carbone, fabbricare le loro automobili, e poi sparire. Figurati che sulla porta di un bar una volta ho visto un cartello con scritto: *Vietato l'ingresso ai cani e agli italiani...*

Luca è sempre piú incredulo. – Ma è sicuro? L'ha visto proprio con i suoi occhi?

– Te lo giuro. E se poi ti dico dove l'ho visto...

– Dove?

– Proprio là, a Marcinelle: quella cittadina del Belgio dove si era incendiata la miniera uccidendo mio fratello e duecentosessanta suoi compagni, che per piú di metà erano italiani. Ero andato fin lassú con mia madre, un lunghissimo viaggio in treno; anche in terza classe costava tanto, quasi tutti i soldi che avevamo da parte, lei però era voluta andare a raggiungere suo figlio, non poteva aspettare che glielo rispedissero giú in una cassa di zinco. Ma dopo essere uscita dalla camera mortuaria si è sentita male, cosí le dico: «Vieni, andiamo a bere qualcosa»; e allora, sulla porta del bar, vediamo il cartello.

– E cosa avete fatto?

– Niente, cosa dovevamo fare? Siamo rimasti lí, a guardare quella scritta. Dentro c'era una donna che serviva al banco, tutta bianca e rossa, con una gran testa di capelli biondi. Vede me, lí davanti, vede mia madre tutta vestita di nero, vede le facce che abbiamo, e diventa ancora piú rossa. Allora viene fuori e toglie il cartello.

– Cosí siete potuti entrare?

– Sí, siamo potuti entrare. Ma dovevano morire tutti quegli uomini, perché togliessero il cartello?

– Però, che razza di gente questi belgi...

– E noi siamo meglio, secondo te? Pensa che quasi tutte le famiglie, almeno dalle mie parti, hanno avuto qualche parente che è dovuto emigrare. E adesso i figli, i nipoti di quei poveretti magari hanno fatto un po' di soldi, si sono comprati l'appartamentino con il mutuo e l'automobile a rate, e scoprono che anche a loro i poveri danno fastidio, specie se parlano un'altra lingua e vengono da un altro paese.

– E se per giunta hanno la pelle piú scura, è ancora peggio.

– Anche noi eravamo scuri, per i belgi o per i tedeschi. Ma uno può essere scuro finché vuole, prima o poi trova sempre qualcuno ancora piú scuro di lui, da trattare da «terrone» o da «negro», e non gli par vero di cavarsi questo sfizio. Cosí va il mondo, ragazzo.

– Allora va proprio male.

– Be', non stare a prendertela, mangia un altro po' di castagne. Certo, se vedessero come ragionano tanti italiani di oggi, tutti quei padri e quei nonni si rivolterebbero nella tomba.

Quella notte, Luca fa un sogno. Sogna che sta camminando sottoterra, in una lunga rete di gallerie che sembra un labirinto, tanto è intricata e piena di ramificazioni. Le volte delle gallerie sono molto basse, e gli rimandano l'eco del suo respiro. Pur ricordando benissimo anche nel sogno di essere figlio unico, Luca è sceso lí sotto per cercare suo fratello; ma per quanto giri, non riesce a trovare anima viva. Comunque, si ostina a cercare, mentre la polvere si deposita in uno strato sempre piú denso sulle rose della sua cesta. Ormai stanno perdendo il loro colore, sono quasi nere, come nera dev'essere diventata la faccia di Luca: lo capisce dal fatto che, passandoci sopra una mano, la ritrae sporca di fuliggine anziché del solito fondotinta.

Non sa bene chi sia, suo fratello; sa soltanto che deve trovarlo a tutti i costi. E gira e continua a girare per quel labirinto sotterraneo, finché non ne può piú dalla stanchezza e dalla sete e decide di entrare in un bar a bere qualcosa. Succede cosí, nei sogni: se uno vuole andare al bar, ecco che quello gli compare subito davanti, anche sottoterra, nel fondo di una miniera. E infatti, eccolo lí: un locale accogliente, a giudicare dalle vetrine, in una delle quali è appeso un grande cartello che reclamizza: *Coca-cola e panini. Delizia tirolese e Speciale alla porchetta per Bingo Bongo.*

Guardando dentro attraverso i vetri, Luca vede una fila di tavolini ciascuno dei quali è circondato da un divanetto a semicerchio, e vede che a ogni tavolo è seduto un ragazzo dalla pelle scura, con una cesta di rose posata accanto a sé sul divano. Bene, pensa, è il posto che fa per me. E chissà che mio fratello non sia proprio qui.

Comincia a cercare la porta d'ingresso, ma non la trova: le vetrine si susseguono lisce, senza aperture, e tutte gli mostrano l'identica immagine dei divanetti con i ragazzi che siedono soli, uno per tavolino, e le ceste di rose posate accanto a loro. Finché, arrivato alla quinta vetrina, a Luca viene l'idea di provare ad appoggiare le mani sul vetro. Le appoggia, e comincia a spingere con tutte le forze, provando un grande sollievo nello scoprire che quello che sembrava un vetro fisso in realtà si può aprire, proprio come una porta. Ora si è formato uno spiraglio abbastanza largo perché lui possa passare; ma quando sta per farlo, uno dei ragazzi seduti ai tavolini si volta all'improvviso verso di lui e gli dice: – Fermati. Non lo sai che i cani non possono entrare?

Con il passare dei giorni, intorno a Luca la città comincia a trasformarsi. Prima in centro, poi anche nelle zone semiperiferiche, le vetrine si parano a festa con addobbi di ogni sorta e le strade cominciano a scintillare di luminarie, sempre per iniziativa dei negozianti e con il loro generoso sostegno finanziario. Quello sí che è un affare, un investimento: mica come cedere le rose marce a un ragazzino esaltato che si è messo in testa di salvare il mondo. I gesti di carità, a meno che non siano adeguatamente pubblicizzati, non attirano i clienti; le luminarie invece sí. E infatti, già a metà dicembre, Luca deve affrontare code e gomitate per comprare i pochi regali indispensabili che anche quest'anno ha pensato bene di fare. Il grosso della sua paghetta natalizia vuole tenerlo da parte, sappiamo per chi; ma i genitori potrebbero insospettirsi se non trovassero sotto l'albero almeno un piccolo dono simbolico. Cosí, attirato dalla promettente insegna: *Tutto a dieci euro*, entra in un negozio dove compra le prime cose che gli capitano sottomano, un portapenne per lui, una collana di fabbricazione cinese per lei, e si sente stringere il cuore all'idea di non poter fare un regalo anche alla Susi. Per lei, potendo, altro che dieci euro: darebbe fondo senza pensarci due volte a tutti i suoi risparmi. Le offrirebbe un dono fantastico, il piú bello che esista, eppure, per quanto si sforzi, non riesce a immaginare quale potrebbe essere quel dono. Niente gli sembra all'altezza, nemmeno le parure e le spille di diamanti che luccicano nelle vetrine dei grandi gioiellieri.

Quanto agli altri, l'anno scorso aveva una lista intera di amici con cui scambiarsi il rito dei regali, ma quest'anno, per causa di forza maggiore, li ha depennati tutti; tutti salvo uno, che prima non figurava nemmeno nell'elenco. L'unico dubbio è se i cingalesi festeggino il Natale oppure no; ma in fondo, che importanza ha? Quale che sia la sua religione, Rajiva non si offenderebbe di certo se lui gli regalasse... ecco, per esempio questo portaritratti. Sarà contento di poterci mettere la foto di sua moglie e dei suoi due bambini.

Ha già allungato la mano per prenderlo, quando gli viene in mente che un portaritratti ha bisogno di un tavolo, di uno scaffale, insomma, di un mobile qualunque sul quale appoggiarlo, e che per avere un tavolo, uno scaffale, un mobile qualunque, occorre disporre di una casa. Rajiva una casa non ce l'ha; una volta dimesso, mica potrà sistemare il portaritratti sulle panchine del parco.

Questo bel portachiavi? Idem come sopra. Un'agenda? Già, ma per annotarci che cosa? Alla fine sceglie una bella cesta di vimini laccata che, quando sarà guarito, potrà servirgli per le sue rose, e va alla cassa a pagare.

Trenta euro in tutto; per il suo fondo segreto gliene restano settanta, che sommati ai proventi della vendita di rose fanno già una cifra da non disprezzare. Meglio cosí perché, come scopre la sera stessa, il fioraio da cui si rifornisce ha alzato i prezzi nell'imminenza delle feste: dice che in questo periodo le rose vanno a ruba e che quindi quelle poche rimaste lui deve per forza vendergliele a un prezzo piú alto, secondo la legge della domanda e dell'offerta.

– Ma che significa, questa legge? – domanda Luca deluso.
– Che piú ho bisogno di una cosa e piú devo pagarla cara?
– Se vuoi metterla cosí... – replica il vecchio ridendo. – Comunque, a meno di un euro al mazzo le rose non posso piú dartele, almeno fin dopo l'Epifania. Devi capire, Natale è Natale...
Già, pensa Luca sarcastico, Natale è Natale; e pace in terra agli uomini di buona volontà. Ma le rose, altrove, non saprebbe proprio come procurarsele, perciò meglio ingoiare il rospo senza ribattere e mantenersi in buoni rapporti con questa sanguisuga.
– Però che non siano marce, okay? O almeno, che non si veda troppo.
– Sta' tranquillo: basta disporle a regola d'arte, ti ho già insegnato come si fa.
Quando esce dal negozio, le luminarie e le insegne festive non gli sembrano piú splendenti come prima. Tanto valeva, pensa, che anziché *Buon Natale e felice Anno Nuovo* ci scrivessero *Legge della Domanda e dell'Offerta*.

– Un cesto per i fiori? Grazie, bellissimo pensiero. È come dire: spero che guarisci presto.
– Infatti, Rajiva, l'intenzione era proprio questa.
– Mi ero quasi dimenticato che tra poco arriva Natale.
– Immagino: mi sa che qui dentro i giorni sono tutti uguali.
– No, sono tutti diversi, proprio come fuori. Qui però non si vedono le luci.
– Be', non perdi molto. Fanno una gran figura, ma poi, sotto sotto, non significano niente.
Rajiva lo guarda perplesso. – Tu sei triste, Luca. Mi dici perché?
– Ma no, non sono triste. Solo che, vedi, quando si avvicina il Natale si pensa ancora piú del solito alle persone care, quelle a cui si vuole bene. E quando magari con queste persone si è li-

tigato, oppure sono lontane... Già, come la tua famiglia. Devi pensarci molto spesso, in questi giorni.

– Ricordati, Luca, che Natale non è la mia festa. E a loro non ci penso in questi giorni, ci penso sempre.

– Anch'io ci penso sempre. Voglio dire... alla persona cui voglio bene. Ma lo sai che non mi hai mai fatto vedere una foto dei tuoi? Devi pur averne qualcuna, nel portafoglio o chissà dove.

– Sí, le avevo, ma quelle sono tutte bruciate. Poi però l'infermiera gentile mi ha dato una mano e me ne sono fatta mandare una nuova qui in ospedale.

– Coraggio, allora, tirala fuori.

– Come?

– Tirala fuori. Fammi vedere quanto sono carini, tua moglie e i tuoi figli.

Rajiva non risponde subito. Per qualche istante si limita a guardare Luca con un'espressione grave e malinconica che fa sembrare i suoi occhi ancora piú scuri del solito. – No, scusa, non posso. Quelle foto non le ho mai fatte vedere a nessuno.

Luca è sbalordito. – Che cos'è, un segreto di stato? Da noi le foto si fanno appunto per mostrarle agli altri.

– Da noi no.

– Scusa, proprio non ti seguo. Capisco che tu non voglia mostrarle agli estranei, ma credevo che noi due fossimo amici.

– Certo, amici.

– E allora...?

– Allora, no.

Ma che strana gente, questi cingalesi, pensa Luca un po' indispettito. – Di cosa hai paura, si può sapere? Che male c'è se guardo quella foto?

– No, Luca, non posso. Dalle mie parti non si usa fare cosí. Dalle mie parti, se io fotografo qualcuno, la sua anima entra dentro la foto. Se tu la guardi e la tocchi, guardi e tocchi l'anima della mia sposa, dei miei bambini; e cosí, anche se non vuoi, puoi fargli del male.

– Tu sei matto da legare! Mi meraviglio di te: fai dei discorsi da professore, da filosofo, e poi viene fuori che sei superstizioso come il piú ignorante dei contadini.

– Facevo il contadino, al mio paese. Mi sembra che te l'ho già detto. Che male c'è a essere un contadino?

– Va be', lasciamo perdere. Se non vuoi, non importa. Tienila ben nascosta, la tua preziosa fotografia. Ma davvero non la faresti vedere a nessuno? Neanche al tuo migliore amico? Neanche a tuo fratello?

– A mio fratello forse sí. Ma non sono sicuro.

Luca scuote la testa. È deluso, certo, ma la reazione di Rajiva gli sembra soprattutto molto buffa. – E pensare che volevo regalarti un portaritratti... Per fortuna ho cambiato idea. Immagina un po', le anime della tua sposa e dei tuoi bambini messe in mostra sul comodino da notte per essere guardate a tutto spiano da medici e infermieri. Pericolosissimo! Roba da brividi!

– Tu scherzi perché non credi a questo, come io non credo al Natale. Per me Natale non è diverso dagli altri giorni e per te l'anima non è nella foto; quindi ho ragione se non te la faccio vedere.

– Non fa una grinza. La tua logica è sempre cosí perfetta, anche quando la adoperi per difendere le tue superstizioni. Ma allora, se tu hai ragione, ho avuto torto io a farti un regalo di Natale. Dal momento che non ci credi...

– È vero, ma sono contento che hai avuto torto e mi hai portato un regalo cosí bello. Anch'io voglio farti un regalo di Natale... Ecco, ti piace questa penna? Splendida, tutta trasparente, quando la giri davanti alla finestra ci vedi dentro la luce del sole. Stamattina il dottore l'ha dimenticata qui, ma se non la trova piú non se ne accorge. Prendila, ti prego. E passa bene la tua festa.

Pensa un po': con tutto quello che sopporto per loro, neanche il privilegio di sapere che faccia hanno. E ora davanti a me queste altre facce che mi guardano come se non mi vedessero. Mi passano attraverso, semplicemente, per darmi o piú spesso negarmi la moneta del mazzolino di rose. Comunque niente caramelle, neanche per sbaglio. Non mi guardano abbastanza per regalarmi una caramella, come io non guardavo gli uomini, le donne, i ragazzi che incontravo per le strade e che a volte proprio non volevano lasciarsi vedere. Quelle mendicanti inginocchiate, che nascondevano il volto tra le ginocchia in una specie di posa rituale, come per dire: «Ecco, io non sono una persona; ci ho rinunciato da un pezzo. Io sono fame, sete, bisogno, voglia di avere un posto dove passare la notte». E questo allora Luca non lo capiva, per insegnarglielo doveva proprio arrivare l'altro ragazzo. Quello con il fondotinta, quello che nessuno guarda.

Ha il braccio indolenzito, a forza di tenderlo. Prima non aveva mai sospettato che le rose fossero cosí pesanti. All'ennesimo rifiuto (ma come? Non è Natale?) avrebbe voglia di mettersi anche lui in ginocchio, la fronte premuta sull'asfalto, e non muoversi piú finché qualcuno, chissà dove, esaudisse la sua preghiera. Il Bambino nella mangiatoia; o quell'idolo dagli alti zigomi e dalle labbra carnose al quale forse i tipi come Rajiva affidano le loro speranze. A quel Bambino, a quell'idolo, chiederebbe di poter vendere alla svelta l'ultimo mazzolino e andarsene finalmente a dormire. Ma no; questo sarebbe il meno, come sarebbe il meno pregarlo di smussare un po', per cortesia, questi spilli di ghiaccio che gli si conficcano nella pelle mentre aspetta sul marciapiede. Se davvero potesse parlargli a tu per tu, la bocca all'orecchio, gli chiederebbe di dare una piccola aggiustatina a questo mondo, come a un dio dovrebbe riuscire facile. Di aggiustarlo appena quel tanto che basta per consentire a migliaia di fronti di sollevarsi dall'asfalto e per fare di un posto come l'isola di Ceylon, se non un paradiso, almeno qualcosa di diverso dall'inferno. Di dimostrare almeno lui alle sue creature quella compassione che troppo spesso non sono capaci di provare l'una per l'altra; di farsi mosca, Himalaya, granello di senape, perché

65

in questa povera terra tormentata non ci siano piú lacrime che nessuno si cura di asciugare.

Ma Luca non ha tempo, adesso, di parlare a quell'idolo o a quel Bambino, e rendendosene conto capisce che molta, troppa gente a questo mondo non ha neppure il tempo di sperare. Bisogna tendere il braccio, offrire le rose; e non prendere troppo sul serio le luminarie che sfolgorano là sopra, a cavalcioni del viale, come stelle di un cielo meno avaro.

L'ultimo giorno di scuola prima delle vacanze: quelle degli altri, non le sue. Quest'anno Luca ha avuto il suo bravo da fare a escogitare pretesti per sottrarsi alla solita settimana in montagna con i genitori, ma alla fine ci è riuscito accampando come scusa i risultati non proprio brillanti delle ultime interrogazioni e la necessità di sfruttare quei giorni liberi studiando a piú non posso, fino a rimettersi in pari. In effetti, è quasi la pura verità: da quando fa tardi tutte le sere con la sua cesta di rose ed è distratto da altre preoccupazioni, Luca fatica piú di prima a tenere il passo con i suoi compagni; ma se ha deciso di rimanere a tutti i costi in città non è stato tanto per dedicarsi allo studio, quanto per non abbandonare il suo posto, per non disertare. Perché la moglie e i figli di Rajiva mangiano tutti i giorni, feste comprese, e non si può certo dire loro: tanti saluti e arrangiatevi, adesso vado una settimana in montagna invece di accumulare i soldi per voi.

Fortunatamente, i genitori si sono convinti a partire per proprio conto: un viaggio a Parigi, dal ventisei dicembre al cinque gennaio, con tanto di veglione di Capodanno incluso nel prezzo. Bene, pensa Luca, cosí loro si divertono e io sono libero di andare e venire senza dover rendere conto a nessuno.

Intanto, però, bisogna prendere la bici e andare per l'ultima volta a scuola. Oggi le lezioni finiscono alle dieci per lasciare spazio alla consueta festicciola prenatalizia. Dopo quello che è accaduto a Halloween, a Luca le feste sono diventate decisamente odiose; ma se non vi partecipasse, il suo comportamento sarebbe giudicato strano e sospetto. Già i suoi compagni hanno cominciato a dargli dell'orso solo perché non dimostra piú lo stesso interesse di prima per argomenti come il campionato di calcio e le foto delle top model...

Cosí, di malavoglia, si mescola alla rumorosa folla di studenti che girano per i corridoi reggendo bicchierini di carta e fette di panettone. Evita accuratamente di incontrare quei pochi che magari si aspetterebbero un regalo da lui; e ancora piú accuratamente evita di avvicinarsi al corridoio della quinta B. Quando invece, dirigendosi verso l'aula dove è stato apparecchiato il buffet per riempire di nuovo il suo bicchierino, vede la Susi che se ne sta seduta da sola, con aria triste, sul davanzale di una finestra, non riesce a resistere alla tentazione. La raggiunge. La guarda in silenzio, e lei ricambia lo sguardo senza sorridere.

– Ciao, Susi.

– Ciao.

– Tutto okay?

– Sí, grazie. E tu?

– Anch'io. Tutto okay.

Non molto brillante, come avvio di conversazione; e infatti sembra che la conversazione non voglia proprio saperne di avviarsi. Un nuovo, imbarazzato silenzio cala tra i due ragazzi, e Luca ricorda con rimpianto i tempi in cui la Susi, con lui, chiacchierava anche troppo e non finiva mai di raccontargli tutto ciò che le passava per la mente, compresi i guai sentimentali di quella carogna della Stefi. Magari lo facesse adesso... Lui non chiederebbe di meglio che ascoltarla.

– Sei in partenza, immagino, – le dice dopo un po', non sapendo di cos'altro parlare. – Dove vai di bello, a sciare? Oppure in campagna, a casa dei tuoi nonni?

– Né l'uno né l'altro. Me ne sto qui da sola a studiare, dato che negli ultimi mesi ho combinato poco.

– Anch'io ho combinato poco –. E vorrebbe aggiungere: «Perché da quando ci siamo lasciati ero troppo triste per studiare», ma non lo fa, quelle semplici parole gli sembrano impossibili da pronunciare dopo settimane di lontananza e di freddezza reciproca.

– Quindi non parti nemmeno tu? Oppure...

– No, Susi, non parto. Pensavo... è davvero strano che quest'anno restiamo in città tutti e due. E pensavo...

– Sí?

– Niente.

– Bene. Allora buone feste. Fai gli auguri anche ai tuoi.

– Grazie, altrettanto. Chissà, magari in quei giorni ci capita di incontrarci.

– Dove, davanti a un cinema? Quella sera non sembravi molto felice di vedermi.

– Ero felicissimo, invece.

– Strano modo di dimostrarlo.

– Ma devi capire...

– Sí?

– Niente.

– Appunto: niente. Comunque, Luca, davanti ai cinema o da un'altra parte, io meno ti vedo e meglio sto.

– Idem per me. Mi hai tolto le parole di bocca.

– Bene, allora siamo d'accordo.

– D'accordissimo. Non parliamone piú.

– Buon Natale.

– Sí, e felice anno nuovo.

Eccola lí, con i pugni stretti e lo sguardo ostinatamente chino sulle ginocchia per evitare di incrociare ancora il suo. Luca non la può soffrire, quando fa cosí. Accartocciando con rabbia il bicchierino di carta, si allontana a grandi passi verso l'uscita della scuola.

Solo, nella casa deserta, dalla quale non esce che la sera per percorrere le vie del centro con la sua cesta di rose; solo, nella città semispopolata dei giorni tra Natale e Capodanno, con le scuole chiuse, il traffico ridotto della metà, e quella folla di poveri, di immigrati, di gente senza mezzi né prospettive, che in altri periodi si confonde nella massa degli altri abitanti ma ora sembra dilagare dappertutto. Una folla alla quale anche Luca appartiene, e non soltanto quando si trucca con il fondotinta e indossa la vecchia giacca con i gomiti lisi. Adesso che intorno a lui tutte le presenze protettive sono venute a mancare (i genitori, gli amici, i compagni di scuola) si sente risucchiato completamente, a ogni ora del giorno, da questa sua seconda e piú difficile identità. Persino quando è in casa; persino quando, in cerca di rassicurazione, corre davanti allo specchio a scrutare il proprio volto per convincersi che, in effetti, è ancora il volto di un ragazzo bianco, europeo zona euro, quanto c'è al mondo di piú garantito.

La notte, rientrando, per prima cosa richiude con cura tutte le serrature della porta blindata; poi si guarda intorno, passando da una stanza all'altra. Non c'è che dire, è proprio un bell'appartamento. Una casa forse non lussuosa, ma elegante, che a ogni angolo esprime la tranquillità, il benessere, i vantaggi di una vita senza problemi. Deve essere davvero grato ai suoi genitori, che gli hanno consentito di crescere in una casa simile; Rajiva non può certo offrire lo stesso privilegio ai propri figli.

Ogni volta che è sfiorato da questo pensiero, ecco che Luca comincia a guardarsi intorno non piú con i suoi occhi, ma con quelli di Rajiva, e allora tutto gli sembra diverso. Tranquillità, benessere? Sí, ma forse anche egoismo. L'egoismo inconsapevole di chi vive in un'oasi in mezzo al deserto, o su un'isoletta felice tra le onde di un mare in tempesta. Ma qual è la vita vera? Questa, o quella che molti, troppi, conducono là fuori, esposti alla fame, al freddo, alla violenza, a tutti i possibili rovesci della fortuna? Esposti a una misura di dolore (ma forse, sospetta Luca, anche a una misura di felicità) di cui uno come lui non può nemmeno arrivare a farsi un'idea.

No, non è e non sarà mai uno di loro; ma a volte ha l'impressione che se lo fosse capirebbe molte cose che ancora gli sfuggono. E allora va a dormire cosí, senza nemmeno togliersi il fondotinta; si butta sul letto vestito, senza coperte, la cesta di rose abbandonata sul pavimento, e lascia che i ricordi della serata lo assalgano come un'onda irresistibile, spesso tormentosa, travolgendo tutte le sue certezze.

È quella, la vita? Sí, è anche quella. La vita di chi ha ormai imparato a cambiare strada alla svelta quando vede in lontananza la figura di un vigile o di un poliziotto; anche stasera ha dovuto fare cosí, cercando goffamente di nascondere la sua cesta sotto un lembo del giaccone. E poi ha corso per minuti interi, senza voltarsi, con la precisa sensazione di essere inseguito. No: qualunque cosa sia, la vita non è certamente protezione; nemmeno gli agi di cui è circondato nel suo appartamento riescono piú a convincerlo del contrario. Non è la serata in discoteca, la partita a pallone con gli amici, la piccola ansia per un compito in classe di matematica. Non è la soddisfazione di comprare l'ultimo modello di telefonino, né l'amarezza per non poter comprarlo. Strano, pensa Luca, che per rendermene conto io abbia dovuto travestirmi da venditore di rose.

La sera dell'ultimo dell'anno: una serata allegra, a quanto sembra, anche per chi è rimasto in città. Nelle vie del centro le luminarie continuano a splendere, locali e ristoranti sono tutti aperti ed esibiscono in vetrina allettanti menu per il veglione, i teatri annunciano spettacoli di gala con tanto di brindisi a mezzanotte offerto ai fortunati spettatori. Ma tutto ciò per Luca non ha molta importanza; per lui è una serata come un'altra, solo un po' piú gelida, con questo vento misto a neve che soffia ormai da ore spolverando di bianco le auto parcheggiate e infilandosi sotto il bavero del giaccone, tra stoffa e pelle. A parte questo, l'unica differenza è che lui non dice semplicemente «grazie», ma «grazie e buon anno» ai pochi che si fermano a comprare le sue rose.

Verso le dieci e mezzo gli viene fame. Avrebbe dovuto pensarci prima, prepararsi una cena vera e propria finché era a casa; invece, per pigrizia, per quella strana indifferenza al proprio benessere che da quando è solo si è impadronita di lui, si è limitato a mangiare un po' di pane e formaggio, e adesso il suo stomaco ha tutte le ragioni di protestare.

I ristoranti del centro ovviamente sono fuori della sua portata, e non solo per una questione di soldi. Ma Luca ricorda di aver visto, passando, una pizzeria dall'aria senza pretese: almeno lí dovrebbero lasciarlo entrare, anche cosí combinato. Certo, non può presentarsi con la cesta di rose; con quella, lo sa per esperienza, non si entra nemmeno nei locali piú modesti, perché i clienti, ricchi o poveri che siano, non amano essere importunati.

Lungo il cammino si guarda intorno cercando una soluzione al suo problema, ed ecco, finalmente la trova mentre attraversa un piccolo e buio giardinetto tra due strade di grande comunicazione. Osserva attentamente le panchine: sono tutte deserte, nessun tipo come Rajiva sembra averle scelte come giaciglio per la notte (cosa che non lo stupisce, con un tempaccio del genere), e anche nelle aiuole non è accampato nessun senzatetto. Chi potrebbe notarla, la sua cesta, se lui la nascondesse per bene sotto una di quelle panchine? Sí, con un buio simile e la neve che offusca ulteriormente la visuale, non dovrebbero esserci rischi; perciò, dopo essersi guardato di nuovo intorno per accertarsi di non essere osservato, Luca infila la cesta sotto la panchina piú lontana dalla luce dei lampioni e se ne va soddisfatto, ripromettendosi di tornare a prenderla con comodo dopo cena.

Non gli fanno proprio ponti d'oro, nella pizzeria, ma nemmeno lo buttano fuori. Lui va a sedersi tutto solo in un angolo, tra chiassose tavolate di gente festante, e ordina una coca e una quattro stagioni. Le tavolate, come non tarda a scoprire, sono composte alcune di bianchi, altre di extracomunitari; non ce n'è una in cui persone di razze diverse siedano insieme, salvo quella là in fondo: una comitiva di ragazzi piú o meno della sua età, probabilmente compagni di scuola. Siedono tutti insieme con l'aria di essere i migliori amici del mondo, come se nemmeno si accorgessero che uno ha la pelle piú scura dell'altro, o gli occhi piú a mandorla, o roba del genere. Chissà, pensa Luca, cosa ne direbbero quelli della quinta B, loro che considerano il piú grande vanto del liceo il fatto che gli studenti siano tutti, dal primo all'ultimo, di origine italiana. A parte uno svizzero, è vero, quel ragazzo della terza F, ma gli svizzeri, pur essendo anche loro extracomunitari, sembra proprio che non diano fastidio a nessuno.

Finita la pizza, Luca decide di concedersi un bicchiere di spumante. Lo lascia lí, intatto, sul tavolino, osservando le bollicine che salgono lungo il cristallo del flûte; ma appena dal televisore acceso nella sala comincia a sentirsi il conto alla rovescia per l'arrivo della mezzanotte, si alza, prende il suo bicchiere e va a raggiungere la tavolata dei ragazzi.

– Posso brindare con voi?

– Certo, vieni pure. Aspetta che ti facciamo posto.

Gli sistemano una sedia tra una ragazza bionda (carina, un tipo come la Susi) e un ragazzo filippino dagli occhi dolcissimi, e quando i suoi vicini gli domandano come si chiama risponde, senza pensarci due volte: – Rajiva.

A mezzanotte in punto brinda con gli altri ragazzi, e con la bionda carina scambia persino un bacio. Poi vorrebbe andarsene per non perdere l'uscita degli spettatori dai cinema e dai teatri (uno dei momenti piú propizi agli affari, per un venditore di rose), ma in quella compagnia sta cosí bene che proprio non trova la forza di alzarsi. Cosí rimane con loro a chiacchierare fin quasi all'una. Poi però si decide a muoversi, con la speranza di incontrare ancora per le strade del centro un po' di gente cui offrire la sua mercanzia.

– Te ne vai di già, Rajiva? Perché non rimani con noi?

– No, devo proprio andare. Ma grazie, grazie davvero.

– Di che cosa?

– Di tutto. Di essere come siete.

Gli altri si guardano perplessi mentre Luca, o Rajiva, si avvia raggiante di gioia verso la cassa. Sí, per quanto ricordi, gli sembra di non avere mai iniziato l'anno in un modo piú bello. Chiede il conto, lo paga e quando uscendo dalla pizzeria è investito dal primo soffio d'aria gelida non lo sente nemmeno, tanto quei ragazzi gli hanno scaldato il cuore. E l'allegro scoppiettio dei petardi con cui la città, intorno a lui, sta salutando il nuovo anno, e le girandole dei fuochi d'artificio che qua e là si levano sibilando sopra ai tetti, tutto contribuisce a convincerlo che questa è davvero la piú perfetta delle serate.

Peccato che, raggiunto il giardinetto e chinandosi a guardare sotto la panchina dove l'aveva lasciata, non trovi piú traccia della sua cesta. Guarda un po', me l'hanno rubata, pensa senza prendersela troppo. Ma chi sarà stato? Che razza di ladro può essere, uno che va in giro la notte di Capodanno a rubare vimini scheggiati e fiori mezzi marci? È proprio vero che, per disperato che uno sia, può sempre incontrare qualcun altro ancora piú disperato di lui: un immigrato con la sua brava cesta di rose se la passa già bene rispetto a un immigrato che non ha nemmeno quella.

Comunque, non avendo piú merce da vendere, a questo punto tanto vale tornare a casa. Ma sí: una piccola vacanza se la può anche concedere; vuol dire che il due gennaio, quando riapriranno i negozi, oltre ai fiori andrà a procurarsi una nuova cesta. Cosí, senza perdere una briciola di buonumore, Luca si avvia fischiettando verso il suo tranquillo quartiere residenziale.

Solo quando è già davanti al portone si accorge di avere perso le chiavi. Come è possibile? Eppure ha un bel frugare nelle tasche, le chiavi non ci sono proprio, forse gli sono scivolate a terra mentre si chinava per nascondere la cesta sotto la panchina. Il portone, come sempre, è ermeticamente chiuso, a prova di spinte e di scrolloni, e dato che la casa, in questi giorni di fine anno, è deserta, non si può neanche sperare nel rientro di qualche vicino.

Bel disastro, pensa Luca; e adesso cosa faccio? Se lo sta ancora domandando, quando vede un uomo in divisa che lo scruta dal marciapiede di fronte. Non sembra un poliziotto, e nemmeno un vigile; dev'essere uno di quei metronotte, o guardie notturne, che a tarda ora compiono giri di perlustrazione nei quartieri bene per accertarsi che tutto fili liscio e non siano in atto tentativi di scasso. Comunque sia, l'uomo squadra Luca con aria sempre meno amichevole, e dopo qualche istante attraversa la strada per venire verso di lui.

– Be'? Che fai qui davanti? Che vai cercando?

– Cerco... cercavo le chiavi, ma non sono riuscito a trovarle. Devono essermi cadute di tasca.

– Le chiavi, eh?

– Certo. Io abito qui.

– Tu? Con quella faccia? Raccontalo a qualcun altro.

– Le assicuro...

– Via, sparisci, altrimenti chiamo la volante.

Luca potrebbe chiarire il malinteso mostrando al metronotte la propria carta d'identità, ma non gli viene neppure in mente di farlo. Sarebbe come rinnegare se stesso, il ragazzo di nome Rajiva che ha brindato in pizzeria con bianchi, neri e «musi gialli» e che di questa faccia comincia a essere fiero, anche se non è proprio la sua.

– Non sto facendo niente di male e ho diritto di stare dove voglio. Se la mia faccia non le piace, guardi da un'altra parte. Siamo in un paese libero, o no?

– Te lo do io, il paese libero, – sbraita l'uomo mettendogli le mani addosso.

– Mi lasci, altrimenti la chiamo io, la volante.

– Ah sí? Questa è proprio da ridere.

Luca cerca di resistere come meglio può agli strattoni con cui quell'energumeno tenta di smuoverlo, ma ecco che altri uomini compaiono all'angolo della via. Sono in tanti, forse una decina, e tutti portano intorno al collo una sciarpa dello stesso colore. Lui non aveva mai visto gruppi del genere, ma ne aveva appreso l'esistenza navigando su internet e ora riconosce nei nuovi venuti una di quelle «ronde» di cittadini che anche nella sua città, come in molte altre, da qualche tempo pattugliano le strade di notte, non si sa bene se per vigilare sull'ordine pubblico o semplicemente per mettere paura agli immigrati.

– Aiuto, correte! – strilla il metronotte appena li vede. – Questo negro vuole aggredirmi!

Qui si mette male, pensa Luca. Divincolandosi, si libera dalla presa del metronotte e prima che quelli possano raggiungerli si allontana di corsa.

Corre, corre a perdifiato senza mai fermarsi, come un animale braccato dai cacciatori, mentre il cuore gli martella nelle orecchie e il respiro si fa sempre piú affannoso. Si ferma soltanto quando è certo di aver fatto perdere le sue tracce; e senza fiato, con le lacrime agli occhi per la rabbia e l'umiliazione, si siede, no, si lascia cadere sul gradino del marciapiede.

E adesso cosa faccio? si domanda di nuovo. Tornare verso casa sarebbe inutile; anzi, meglio stare alla larga da quella zona, a scanso di imbattersi di nuovo nella ronda dei «benpensanti». Però il sonno e la stanchezza cominciano a farsi sentire. E ora che non è piú accaldato dalla corsa, comincia a farsi sentire anche il gelo di questa notte invernale. Sembra davvero di essere in montagna; solo che in montagna, a quest'ora, lui se ne starebbe comodamente rintanato sotto le coperte, e il termosifone diffonderebbe nella sua camera un piacevole tepore. La sua camera... ci pensa con nostalgia, sia a quella della casa in montagna, con i mobili di pino e i sassi raccolti durante le passeggiate disseminati qua e là come amuleti preziosi, sia a questa in città, da cui in teoria lo separano soltanto poche centinaia di metri. Eppure, ora l'una e l'altra sono ugualmente irraggiungibili, e per la prima volta in vita sua Luca si trova a sperimentare cosa significhi non avere una casa, un rifugio, un tetto sotto il quale ripararsi. E pensare che Rajiva viveva sempre cosí...

Un riparo di qualche genere però bisogna proprio trovarlo, altrimenti si rischia di morire assiderati in una notte come questa. A Luca viene l'idea di raggiungere la piú vicina stazione del metrò e di infilarsi là sotto, dove il vento e la neve non possono aggredirlo; ma quando finalmente ci arriva, tutto intirizzito, trova l'ingresso della stazione sbarrato da una robusta grata metallica. Per terra, addossato alla grata, un grosso fagotto di stracci e coperte sbrindellate nel quale Luca, ormai esperto di queste cose, riconosce quasi immediatamente la figura di un uomo.

E infatti, dopo un attimo, ecco sbucare da quel fagotto un volto nero e sorridente. – Chiuso, amico. Niente da fare.

– Ma come, chiuso?

– Finiti i treni, a quest'ora.

– Ho capito, ma anche se non ci sono piú treni, perché chiudono la stazione? Dovrebbero lasciarla aperta, per chi non sa dove andare.

A queste parole l'uomo ride, scuotendo la testa con l'aria di domandargli: «Ma tu in che mondo vivi?» – Per questo la chiudono, amico. Per non farci entrare.

Luca saluta l'uomo e se ne va indignato. Per non farci entrare... ripete a se stesso. Bella carità... Gli torna alla memoria quella strana, meravigliosa formula che Rajiva gli aveva insegnato. Non devono aver mai pensato in vita loro: «Tu sei questo», quelli che hanno deciso di sbarrare durante la notte le stazioni del metrò per togliere agli ultimi un possibile rifugio. Ma allora dov'è, il rifugio degli ultimi? Forse in una chiesa? Sí, certamente una chiesa non può chiudere le sue porte davanti a loro, altrimenti non sarebbe neppure degna di chiamarsi «casa del Signore»; e si sa bene quanto facciano i sacerdoti per aiutare i poveri e gli emarginati.

Si dirige dunque verso la parrocchia piú vicina: la stessa cui sua madre regala ogni anno gli abiti vecchi, per beneficenza. Peccato che anche quella sia chiusa, sbarrata. Due donne anziane hanno sistemato un grosso foglio di cartone davanti al vano del portale e dormono lí, rannicchiate l'una contro l'altra, con quello strato di carta ormai fradicio come unica protezione dal freddo e dalla neve.

Luca si allontana in punta di piedi, per non disturbarle. Come può vivere, la gente, pensa con un nodo alla gola; come può essere sola e disperata... E anche lui si sente solo e disperato, sperduto in un mondo che sembra non conoscere la compassione.

Ma allora esiste o no, l'amore? si domanda. Esiste, oppure è una stupida favola?

A un tratto tira fuori dalla tasca il telefonino e scrive in fretta: *Ci 6? Aiutami. Sto correndo da te.*

E davvero, senza neppure attendere la risposta, si mette a correre come un pazzo verso casa della Susi.

Ora è sul divano, davanti a una bella tazza di latte caldo, avvolto nella piú pesante delle vestaglie di suo padre che la Susi è riuscita a trovare nell'armadio, mentre i vestiti fradici di neve sono stesi ad asciugare in cucina davanti al forno acceso. Ma il conforto piú grande è la mano di lei unita alla sua in una stretta salda e convinta, che ha l'aria di voler durare per sempre.

– Ma perché, Luca, non me ne hai parlato prima? Ti avrei capito, avrei potuto aiutarti...

– Non so, forse perché sono uno stupido. Avrei dovuto fidarmi di te fin dal principio, e invece...

– Invece ti vergognavi: della cosa piú bella e importante che hai mai fatto in vita tua. D'altra parte, ti posso capire. Anch'io devo essere un po' stupida, e mi sono sempre vergognata troppo per raccontarti del bacio.

– Come? – dice Luca preoccupato. – Quale bacio?

– È successo in ottobre, poco prima che litigassimo. Stavo tornando a casa da sola, verso sera, dopo essere stata in centro a fare shopping con le mie amiche, quando un tizio cerca di fermarmi, proprio davanti alla chiesa. «Per favore, signorina, posso dirle una cosa?» mi fa, ma io tiro dritto. Avevo anche un po' paura, sai com'è, a quell'ora non c'è in giro quasi nessuno. Poi però... non so perché, ma poi mi sono voltata e sono tornata indietro.

– Io lo so perché. Credo che bisognerebbe sempre voltarsi.

– Allora il tizio (un uomo anziano, scuro di pelle ma con gli occhi azzurri: doveva essere un albanese o giú di lí) mi mostra un foglio che teneva in mano, una specie di cartella clinica con l'intestazione e il timbro di un ospedale, piena di quei paroloni scientifici che usano i medici: aritmia, ventricolo destro, roba del genere. «Ecco, vede, – mi dice, – sono malato di cuore e devo tornare al mio paese per farmi operare, ma non ho i soldi per pagare il biglietto dell'aereo. Mi aiuti, la prego, non so come fare. Mi mancano soltanto venti euro». E io allora... be', io glieli ho dati.

– Venti euro? Sei matta? Quello dell'operazione al cuore è un trucco vecchio come il mondo, dicono cosí per impietosire la gente.

– Sí, può darsi. Ma se tu avessi visto come erano tristi quegli occhi... Disperati. Allora mi è venuto di pensare: che importanza ha se quei soldi gli servono perché è malato oppure perché ha fame? Quando dice che ne ha bisogno, mi sta dicendo comunque la verità, anche se tutto il resto è una commedia. E poi, che razza di commedia... Per niente allegra, non trovi? Tu ti divertiresti se fossi costretto a recitarla, magari tutti i giorni, solo per tirare a campare?

– No, non mi divertirei, hai fatto bene a dargli quei soldi. Fai bene a essere matta anche tu.

– Glieli ho dati e poi, non so perché, gli ho teso un'altra volta la mano dicendo: «Be', tanti auguri». E lui si è commosso, aveva le lacrime agli occhi. Allora mi ha dato quel bacio, su una guancia, e ha detto: «Spero che ci rivedremo». A quel punto, le lacrime agli occhi ce le avevo anch'io. Me ne sono andata, poi dopo qualche passo mi sono voltata per salutarlo di nuovo con la mano, e anche lui mi ha salutata con la mano. Poi ho proseguito senza voltarmi piú, ma sulla guancia, capisci, continuavo a sentire quel bacio. Non mi era mai capitata una cosa del genere, e forse non mi capiterà mai piú. Quelli come lui di solito non li tocchiamo, li guardiamo soltanto a distanza, è come se ci fosse un muro tra noi e loro. Ma quando mi ha baciata, il muro è crollato all'improvviso, e mi sono resa conto che quello era davvero un uomo. Come mio padre, capisci? O mio fratello, o il lattaio, o chiunque altro. Sono uomini, sono donne, quelli che vivono cosí.

– Sí, so cosa vuoi dire. Tu sei questo... Anch'io l'ho provato molte volte negli ultimi tempi. Ma perché non me l'hai mai raccontata, questa storia?

– Un paio di volte ci ho provato, ma non sembrava che tu avessi molta voglia di starmi a sentire. Un po' come quella sera che volevo parlarti della Stefi...

– Sí, scusami, hai ragione. Forse ero davvero un egoista.

– Se lo eri, adesso sei cambiato. Non pensiamoci piú. Piuttosto, cosa hai intenzione di fare con Rajiva?

– Come sarebbe?

– Prima o poi devi pur dirglielo, che quella notte eri nel parco. Devi avere il coraggio di dirgli tutto e di chiedere il suo perdono.

– Sí, hai ragione, ci avevo già pensato molte volte. Non è facile, ma ci proverò. Tra un paio di giorni magari vado a portargli i soldi delle rose: ce n'è già un bel po', vale la pena di cominciare a spedirli alla sua famiglia. E poi gli spiegherò perché mi sono dato tanto da fare per loro; altrimenti continuerà a credere che sono un ragazzo buono.

– E non lo sei?

– Chi lo sa.

A queste parole, la Susi sorride e si rannicchia tutta contro di lui posandogli la testa su una spalla. – Lo so io, Luca. E adesso che lo so, non ti lascerò piú.

– Non posso crederci. Tu hai fatto questo per me? – dice Rajiva guardando con i lucciconi agli occhi le monete che Luca ha appena finito di ammucchiare davanti a lui, sul comodino.

– Era il minimo che potevo fare.

– Non il minimo. Nessuno poteva fare di piú.

– Sí, invece: potevo fare molto di piú, forse potevo addirittura evitarti tutto questo. C'è qualcosa che dovrei proprio dirti, Rajiva, ma non so da che parte cominciare.

– Anch'io devo dirti una cosa. Una cosa bella.

– Allora parla prima tu: la mia, invece, è molto brutta.

L'altro gli lancia uno sguardo preoccupato. – Mi fai paura, Luca. Spero che non ti è capitato niente di male.

– Ma no, non preoccuparti. Coraggio, sono tutto orecchie: dimmi questa cosa bella.

– Stamattina il dottore mi ha visitato e ha detto che sto molto meglio. Quasi guarito. La settimana che viene mi mandano fuori da qui.

– Che notizia splendida! – esclama Luca entusiasta. – Allora bisogna cominciare a organizzarsi. Trovarti un tetto sotto cui dormire, e magari un lavoro un po' migliore che vendere le rose.

– Non è un lavoro cattivo.

– È cattivo sí; lo so per esperienza. Comunque, non voglio che tu riprenda a fare quella vita, dormendo sulle panchine dei parchi. Intanto, con questo po' di soldi che ho racimolato per te...

– Questi soldi, Luca, mi serviranno per il viaggio.

– Come? Quale viaggio?

– Quando vado via da qui, devo andare via anche dall'Italia. Credo che un poliziotto viene a prendermi e mi accompagna all'aeroporto. Sono un clandestino: niente documenti. Niente permesso di restare in questo paese. Se non venivo all'ospedale, nessuno si accorgeva, ma cosí...

– Roba da matti! Ma che razza di giustizia sarebbe? Sei stato aggredito, ridotto quasi in fin di vita, e adesso ti tocca pagarne le conseguenze come se la colpa fosse tua. Come se il criminale fossi tu e non quelli che hanno cercato di bruciarti vivo.

– Loro, nessuno sa chi sono.

– Io sí, – dice Luca d'impulso; poi ammutolisce. È vero che aveva deciso di confidare tutto a Rajiva; ma ora che le prime parole di quella confessione gli sono sfuggite dalle labbra, si sente come schiacciato dall'enormità del compito che gli sta di fronte.

– Tu sí? Scusa, non ho capito bene.

– Hai capito benissimo, Rajiva. Quella notte, io c'ero. Volevo dirtelo da tanto tempo, fin dal primo giorno che ci siamo parlati, ma me ne è sempre mancato il coraggio.

– Tu c'eri... Per questo, quando sei entrato la prima volta, ho pensato: questo ragazzo l'ho già visto. Però non mi ricordavo bene: era buio, c'era tanto fumo. E poi, quando hai detto «mi dispiace», ho pensato: no, mi sembra solo di averlo già visto, perché il destino vuole che diventiamo amici.

– E cosí è stato, Rajiva.

– Sí, cosí è stato. Adesso però mi dici che anche tu hai versato la benzina, hai acceso i fiammiferi... Come può essere, Luca?

– Ma no, ti sbagli, come puoi credere una cosa del genere? Io non ho versato nessuna benzina, non ho acceso nessun fiammifero. Ero semplicemente lí, paralizzato dall'orrore, a guardare quella banda di teppisti che ti dava fuoco. Poi sono corso via come un vigliacco, senza muovere un dito per aiutarti. E da allora mi sono sempre chiesto: Che differenza c'è tra me e loro? Loro hanno fatto, io ho lasciato fare... In fondo hai ragione, Rajiva, è proprio come se quei fiammiferi li avessi accesi anch'io.

– Per questo, poi, sei venuto a trovarmi. Allora non è vero che sei un volontario.

– Forse lo sarò, d'ora in avanti. Ho imparato tante cose da quando ci siamo incontrati.

Rajiva resta a lungo senza parlare, spostando lo sguardo dal volto contrito di Luca al mucchio di monete sul comodino.

– Non so, non capisco piú niente. Devo dirti grazie? Devo dirti: va' via?

– Nemmeno io so cosa farei al posto tuo, e se mi dirai di andarmene ti capirò. La colpa che ho verso di te è difficile da perdonare, ma tu perdonami lo stesso, se puoi. Una volta (ti ricordi?) mi hai detto che tutte le storie sono brutte o belle, secondo come le si guarda...

– Sto provando, Luca. Sto provando a pensare che è una storia bella.

– Ma non ci riesci?

Con un sospiro, Rajiva chiude gli occhi e si tira il lenzuolo fin sopra la testa, come se una profonda, disperata stanchezza gli impedisse di continuare a sostenere la vista di ciò che lo circonda.

– Scusami, Luca. Ora voglio dormire.

– Va bene, ti lascio in pace. Posso tornare domani, oppure...?

A quella domanda, Rajiva risponde soltanto con un altro sospiro e a Luca non resta che andarsene. Dalla soglia si volta a lanciare un ultimo sguardo alla figura rannicchiata sotto il lenzuolo e a quell'inutile mucchio di monete con cui si era illuso di poter riparare il suo torto; poi, trattenendo le lacrime, si avvia lungo il corridoio.

Il giorno seguente Luca torna all'ospedale ma non ha il coraggio di entrare nella camera di Rajiva. Prova a chiamarlo dalla soglia, una volta, due volte; nessuna risposta. Evidentemente, pensa con un nodo alla gola, non riesce proprio a perdonarmi. Stando cosí le cose, non gli resta che andarsene; ma prima di farlo, va a cercare l'infermiera bionda e le chiede di dargli una penna e un foglio di carta.

– A che ti servono, Luca? Oggi non vai a trovare il tuo amico?

– No. Però voglio lasciargli un biglietto, se lei sarà cosí gentile da darglielo dopo che sarò uscito.

– Volentieri. Ma non capisco...

Senza rispondere, Luca scrive sul foglio il suo nome in stampatello e, sotto, tutti i suoi possibili recapiti: il numero di cellulare, quello del telefono fisso, l'indirizzo di casa e della scuola. Cosí, se Rajiva vorrà cercarlo, saprà come fare.

– Ecco. Mi raccomando, glielo dia. E gli dica...

– Che cosa?

– Niente. Non gli dica niente.

Poi se ne va, amareggiato, pensando che probabilmente Rajiva getterà via il suo biglietto senza neppure guardarlo.

Il peggio è che non riesce nemmeno a dare la colpa alla Susi, come una volta avrebbe fatto sicuramente. Certo, è stata lei a spingerlo a confessare a Rajiva la verità, e senza quella confessione loro due sarebbero ancora i migliori amici del mondo. Rajiva sarebbe tornato nell'isola del paradiso con il cuore colmo di gratitudine per il giovane «volontario», avrebbe parlato di lui alla moglie e ai figli e avrebbe insegnato anche a loro a volergli bene. Ma cosa sarebbe stato, tutto questo, se non il frutto di un inganno? No, per quanto penose siano le conseguenze, la Susi aveva perfettamente ragione: non si poteva continuare a tacere per sempre, bisognava che lui si assumesse sino in fondo le sue responsabilità.

Meno male, comunque, che hanno fatto la pace, altrimenti Luca non riuscirebbe a sopportare il vuoto di queste giornate. La scuola chiusa, i genitori e gli amici ancora in vacanza, il pensiero continuo di quell'uomo che ha significato tanto per lui e ora è uscito per sempre dalla sua vita... e un'altra cosa ancora, che non si sarebbe mai aspettato. No, proprio non si aspettava che ogni sera, preparandosi per andare a prendere la ragazza che ama e portarla al cinema o in pizzeria, avrebbe sentito la mancanza della sua cesta di rose, di quelle ore trascorse al freddo, sul marciapiede, con la coscienza di stare aiutando una famiglia sconosciuta.

Il primo giorno di scuola dopo le vacanze: dopo tanto tempo, il primo giorno normale, senza altri pensieri che seguire le lezioni prendendo diligentemente appunti sul quaderno. Eppure questa normalità, che per tante settimane aveva rimpianto, ora che l'ha ritrovata non lo entusiasma affatto. Si sente come uno che si è svegliato da un sogno inquietante, ma pieno di significato, per tornare alla banalità della vita quotidiana.

Quando squilla l'ultima campanella, Luca si unisce alla folla degli studenti che sciamano fuori dell'edificio, senza riuscire a condividere le loro rumorose manifestazioni di sollievo. Lui è cupo e taciturno mentre dal portone si guarda intorno per cercare di ricordarsi dove diamine ha legato la bici; ma a un tratto il suo sguardo si imbatte in un volto che mai piú si aspettava di vedere: un volto bruno, simile a quello di un idolo, con due grandi, miti occhi neri che appena incontrano i suoi si accendono di una luce affettuosa.

Dalla sorpresa Luca rimane senza fiato e non riesce neppure a gridare, come vorrebbe, il nome dell'amico. A passi incerti, va verso di lui. Sí, ora che lo vede da vicino ne ha la conferma: è proprio affetto, quello che brilla negli occhi di Rajiva. Quello stesso affetto che Luca vi aveva scorto cosí a lungo e che sembrava sparito per sempre dopo la sua confessione.

Eccoli l'uno davanti all'altro, senza parole: entrambi sono troppo commossi per parlare.

Alla fine è Rajiva a rompere il silenzio.

— Tra poco parto. Ma prima sono venuto a salutarti.

— Non pensavo... Non ci speravo piú. Tu non sai, Rajiva, come sono felice di vederti. Questo vuol dire che mi hai perdonato?

— Vuol dire che avevi ragione tu: la nostra è davvero una storia bella. Sono venuto per dirtelo e anche... per darti una cosa —. Tira fuori dalla tasca una busta bianca e la mette nelle mani di Luca. — Non aprirla adesso. Solo dopo, quando sono andato.

— Va bene, come vuoi.

— Ricordatelo, però. Non perdere la busta.

— Ma no che non la perdo, sta' tranquillo.

— Non posso fermarmi tanto. Il mio aereo parte alle quattro, ma l'infermiera gentile mi ha lasciato uscire un po' prima, senza dire niente a nessuno. Ho detto che volevo venire a salutarti, e lei ha capito.

— Meno male che sei venuto. Se non ci fossimo piú rivisti...

— Dovevo rivederti, Luca, per dirti che non sono arrabbiato. Per dirti che sei un ragazzo buono. Per dirti grazie.

— Ma no, ti prego, non ringraziarmi. E non dire piú che sono buono, quando non ho fatto niente per...

— Non parlarne piú. In quel parco la paura era piú forte dell'amore, ma poi l'amore è stato piú forte della paura. Hai avuto coraggio, Luca: molto coraggio.

— Il coraggio di vendere un po' di rose davanti ai cinema?

— Il coraggio di diventare uno come me. Lo so che non è facile.

Luca china il capo per nascondere le lacrime. — Rajiva, sono io che devo dirti grazie.

— Adesso piangi, e ti vergogni, pensi che non è bello per un uomo farsi vedere mentre piange. È meglio che io vado subito.

– No, aspetta...

Ma quando Luca risolleva il viso, Rajiva si sta già allontanando. Lo segue con lo sguardo lungo tutto il marciapiede, poi lo vede sparire oltre l'angolo della strada.

Gli occorre qualche istante per riprendersi dalla commozione. Allora si ricorda della busta che tiene ancora tra le mani. La apre: dentro c'è una fotografia scattata evidentemente con una macchina a buon mercato, e da qualcuno non molto esperto. La foto mostra una capanna circondata da una vegetazione rigogliosa, di un verde brillante; davanti alla capanna, sorridenti di fronte all'obiettivo, ci sono una donna dalla pelle bruna e dai lunghi capelli neri e due bambini, un maschio e una femmina, scuri anche loro di capelli e di carnagione. Sul retro della foto, la mano un po' incerta di Rajiva ha scritto in grossi caratteri:

PER MIO FRATELLO

YOUNG

Francesca Longo, *Come ti sequestro la prof*
Francesca Longo, *In gita di distruzione*
Patrizia Marzocchi, *Il viaggio della speranza*
Sabrina Rondinelli, *La nostra prima volta*
Francesca Longo, *Mojito*
Paola Capriolo, *Io come te*
Deborah Gambetta, *Viaggio di maturità*
Gigliola Alvisi, *Non sono una bambola!*
Massimo Carlotto, *Jimmy della Collina*
Sabrina Rondinelli, *Camminare correre volare*
Patrizia Rinaldi, *Rock sentimentale*
Francesco D'Adamo, *Mille pezzi al giorno*
Gigliola Alvisi, *Sono solo Mia*
Carlo Lucarelli, *Febbre gialla*
Antonio Ferrara, *Certi fiori stanno all'ombra*
Giuliana Facchini, *Il mio domani arriva di corsa*
Paola Capriolo, *No*
Anna Pavignano, *Tutto quello che vorrei*
Paola Capriolo, *L'ordine delle cose*

CARTA BIANCA

Einaudi Ragazzi

Francesco D'Adamo, *Storia di Iqbal*

Antonio Ferrara, *80 miglia*

Frediano Sessi, *Ultima fermata Auschwitz. Storia di un ragazzo ebreo durante il fascismo*

Antonio Ferrara, *Bestie*

Paola Capriolo, *Partigiano Rita*

Tommaso Percivale, *Più veloce del vento*

Igor De Amicis e Paola Luciani, *Giù nella miniera*

Antonio Ferrara, *Harry*

Donata Turlo, *Da uno a infinito*

Daniele Nicastro, *Grande*

Finito di stampare nel mese di marzo 2017
per conto delle Edizioni EL
presso Grafica Veneta S.p.A., Trebaseleghe (Pd)